Книги Екатерины Вильмонт:

- Путешествие оптимистки, или Все бабы дуры.
- Полоса везения, или Все мужики козлы.
- Три полуграции, или Немного о любви в конце тысячелетия.
- Хочу бабу на роликах!
- Плевать на все с гигантской секвойи. Умер-шмумер.
- Нашла себе блондина!
- Проверим на вшивость господина адвоката.
- Перевозбуждение примитивной личности.
- Курица в полете.
- Здравствуй, груздь!
- Гормон счастья и прочие глупости.
- Бред сивого кобеля.
- Зеленые холмы Калифорнии. Кино и немцы!
- Два зайца, три сосны.
- Фиг с ним, с мавром! Зюзюка, или Как важно быть рыжей.
- Крутая дамочка, или Нежнее, чем польская панна.
- Подсолнухи зимой (Крутая дамочка-2).
- Зюзюка и другие (Сб.: Зюзюка, или Как важно быть рыжей;
  Зеленые холмы Калифорнии; Кино и немцы!).
- Дети галактики, или Чепуха на постном масле.
- Цыц!
- Девственная селедка.
- Мимолетности, или Подумаешь бином Ньютона!
- Артистка, блин!
- Танцы с Варежкой.
- Девочка с перчиками.
- Шалый малый.
- Трепетный трепач.
- Прощайте, колибри, хочу к воробьям!
- У меня живет жирафа.
- Черт-те что и сбоку бантик.
- Интеллигент и две Риты.
- Со всей дури!
- Фиг ли нам, красивым дамам!
- Сплошная лебедянь!
- Вафли по шпионски
- Шпионы тоже лохи

Екатерина Вильмонт

Шпионы тоже лохи

Издательство АСТ
Москва

УДК 821.161.1-31
ББК 84(2Рос=Рус)6-44
     В46

Вильмонт Екатерина Николаевна.

В46   Шпионы тоже лохи / Екатерина Вильмонт. —
Москва: Издательство АСТ, 2018. — 320 с.

ISBN 978-5-17-100598-6 (С.: Романы Екатерины Вильмонт)
В оформлении используется картина Винсента Ван Гога
«Ваза с ромашками и анемонами», 1887г.
Дизайнер — Екатерина Ферез

ISBN 978-5-17-100605-1 (С.: Бестселлеры Екатерины Вильмонт)
Дизайнер — Иван Кузнецов
Фото автора — Александр Горчаков

Бобров и Марта по-прежнему вместе. Но это обстоятельство не дает покоя многим. Удастся ли доброжелателям разрушить их идеальный союз?

Продолжение романа «Вафли по-шпионски»!

УДК 821.161.1-31
ББК 84(2Рос=Рус)6-44

Неожиданные предложения

— Михаил Андреевич, — окликнул Боброва незнакомый мужчина весьма внушительного вида — большой, толстый, но с добродушным лицом.

— Мы знакомы?

— Пока нет, но я горю желанием познакомиться. Костенко, Игорь Олегович, издатель.

— Издатель? И чем я обязан такой чести? — недовольно поморщился Бобров. Он не любил таких непонятных знакомств, хотя Костенко не внушил ему никаких опасений.

— Михаил Андреевич, у меня к вам два деловых предложения.

— Вот как? Сразу два? Интересно.

— Да, вот такой я деловой, — добродушно усмехнулся Костенко, — и если вы сейчас не очень торопитесь, то предлагаю немедленно спуститься и пообедать в ресторане, тут, по соседству, поверьте, заведение вполне достойное. Разговор займет максимум час.

Бобров взглянул на часы.

— Ну что ж, Игорь Олегович, вы меня заинтриговали. Я готов.

Они спустились на лифте в обширный вестибюль бизнес-центра и вышли на улицу. Было холодно и промозгло.

— Тут два шага, — успокоил Боброва Костенко.

Они сели за столик, Костенко щелкнул пальцами, как в кино, и немедленно возник официант с меню.

— Итак, Михаил Андреевич...

— Простите, одну минутку, я должен позвонить жене... Алло, маленькая, я не успею к обеду, возникли кое-какие дела, а потом у меня консультации в МИДе. Буду поздно, не скучай. Итак, Игорь Олегович, я вас слушаю.

— Михаил Андреевич, я тут познакомился с вашей, прямо скажем, незаурядной биографией, почерпнул сведения из разных источников, это фантастически интересно, и я хотел бы издать роман, да-да, не удивляйтесь, именно роман о вашей истории... о вас...

— Роман? И кто будет писать этот роман? — скептически вздернул бровь Бобров.

— Есть молодой, но очень перспективный автор... у нее прекрасное перо...

— Это еще и дама? Ну, допустим, а что от меня-то требуется? Пусть ваша перспективная авторесса пишет, что хочет, разумеется, без упоминания моих анкетных данных. Чего вы от меня-то хотите?

— Я хочу, чтобы вы были консультантом, ну и, по мере возможности, посвятили нашу писательницу в некоторые специфические детали вашей... э... шпионской деятельности.

— О нет, увольте! Единственное, на что я готов согласиться, это время от времени просматривать то, что напишет ваша дама и убирать явные нелепости, рожденные дамским воображением. Не более того.

— Ох, батенька, и строги же вы! — улыбнулся Костенко. — Ну что ж, это все же лучше, чем ничего. И второе — не согласитесь ли вы проглядеть с той же целью один сценарий на ту же тему. Мой брат — режиссер, проект очень перспективный, но Диме, это мой брат, многое там кажется абсурдным. Разумеется, ваши консультации будут хорошо, да нет, очень хорошо оплачены.

— А если я сочту весь этот сценарий бредом?

— Значит, вы откровенно скажете, что это бред, только и всего.

— Ну что ж, пожалуй, это даже любопытно. С киношниками я пока дела не имел.

— Вот и отлично, значит у вас пока нет предубеждений и ваше мнение будет непредвзятым.

— Ну, это скорее всего до первого прочтения, — рассмеялся Бобров.

— Не верите вы в наше кино.

— А вдруг поверю, чем черт не шутит, — лукаво усмехнулся Бобров.

Ох, и непростой мужик, подумал Костенко, мы с ним еще хлебнем, но игра все же стоит свеч.

— Михаил Андреевич, может, по рюмочке за наше теперь общее дело?

— О нет, я за рулем. Да и рановато пока. А скажите, Игорь Олегович, кто же все-таки будет писать роман?

— Есть такая Нонна Слепнева, очень-очень одаренная женщина. Я выпустил два ее романа, они прошли на ура! Идея романа о вас принадлежит ей и, если честно, написано уже больше трети...

— Отважная дамочка, — хмыкнул Бобров.

— Нонна буквально влюблена в вас, точнее, в своего героя, и, коль скоро мы нашли с вами общий язык, не сочтите за труд проглядеть написанное.

— Ну, как говорится, взялся за гуж... Только я не обещаю сделать это в ближайшие дни, поймите, времени совсем нет.

— О, вполне понимаю, но, Михаил Андреевич, дело с романом пока, что называется, не горит, а вот сценарий надо бы побыстрее...

— Хорошо, сбросьте мне текст, почитаю в самолете.

— Не смею спросить, далеко ли собрались. Нет, это не любопытство, просто хочу прикинуть, успеете ли прочесть за время полета, впрочем, это неважно. А вот роман, он пока только на бумаге, не сердитесь, но наша Нонна, хоть и молодая, но пишет исключительно от руки.

— О, это как-то обнадеживает!

И Костенко извлек из объемистого портфеля папку и бланк договора.

— Вот, это машинопись, а это договор. Прошу вас, прочтите его прямо сейчас, может, сразу и подпишем, чтобы вы не сомневались?

— Ну и темпы у вас, сударь!

Бобров поймал себя на том, что ему определенно нравится этот толстяк, он, конечно, жук, но обаятельный и не подлый.

— Ну что ж, Игорь Олегович, — пробежав глазами договор, сказал Бобров, — все вроде бы нормально, но я тем не менее хочу изучить сей документ подробно, извините, но подписывать какие бы то ни было документы с первого взгляда не привык.

— Понимаю, понимаю, но поверьте, там нет никаких подводных камней.

— И все-таки я привык полагаться только на себя.

— Принцип, заслуживающий большого уважения. А то иной раз человек на радостях подмахнет договор не глядя, а потом начинается...

Они пообедали и расстались вполне довольные друг другом.

Бобров улетел на Дальний Восток, на остров Русский. Ему не хотелось надолго оставлять жену, но дела требовали его присутствия, к тому же ему было интересно, он никогда еще не был на Дальнем Востоке.

Дневник

Миша опять уехал. Грустно. Вот почему так — кажется, у нас такая любовь, такое совпадение во всем, такое счастье... и вдруг в один прекрасный день понимаешь — что-то уходит или уже ушло, кончилось... Нет, я знаю, он действительно любит меня, хочет по-прежнему, но я все меньше места занимаю в его жизни. Он теперь постоянно занят, его это радует, он окончательно излечился от своей прошлой жизни, забыл о бытовой технике, нашел себя в новой реальности. Это естественно для мужчины, а он мужчина даже не на сто, а на двести процентов, и я убеждена, случись со мной что-то плохое, он бросит все и придет на помощь. Но у него столько тайн! Его прошлая шпионская жизнь наложила на него такой отпечаток... Он редко делится со мной, привык все держать в себе. Мы вместе уже почти год, а он до сих пор ни слова не сказал мне о своей погибшей жене, как будто ее и не было в его жизни. Если бы Миля мне не сказала о ней, я бы и не знала. А задавать ему такие вопросы я не хочу, боюсь. Он замечательный, мой Миша, добрый, умный и любит меня, но мне приходится довольствоваться лишь малой толикой его жизни... Мы так хотим ребенка, но доктор Пыжик пока не разрешил. Короче, мне грустно. Ничего, переживу, главное — не подавать виду, встречать его улыбкой, которой он так всегда радуется, и быть ему хорошей женой... А я хорошая жена?

Радио «Солнце», где работала Марта, внезапно закрыли. То есть слухи об этом ходили давно, но вот свершилось, Марта и Вика долго плакали.

— Что мы теперь будем делать? — рыдала Вика.

— Однозначно — искать новую работу, — всхлипывала Марта.

— Ты пойми, даже если мы найдем нормальную работу, мы никогда уже не будем работать вместе. У тебя твой Бобров, у меня Пыжик, они, конечно, школьные друзья, но у них настолько разные жизненные интересы...

— Нет, Вика, — решительно заявила Марта, — это глупости, мы же с тобой и до радио «Солнце» дружили, так что ж мы теперь разбежимся?

— Мы не разбежимся, но сама жизнь нас может развести...

— Что ж, по-твоему, дружить можно только с коллегами? — рассердилась Марта. — Тогда этой дружбе вообще грош цена.

— Да, пожалуй, ты права, — задумчиво проговорила Вика. — А что твой Бобров говорит?

— Ну что он говорит! «Не расстраивайся, маленькая, проживем! Я теперь хорошо зарабатываю...»

— А помочь в поисках работы не предлагал?

— Нет, хотя у него конечно же есть возможности. Знаешь, Вика, так вообще-то странно... Он вот заявляет, что хорошо зарабатывает, а сколько именно, не говорит, и еще одна странность... Он все собирался поменять машину, еще два месяца назад. А потом вдруг словно забыл об этом.

Я спросила, почему он новую машину не покупает, а он засмеялся и сказал: «Просто раньше я хотел одну машину, а теперь хочу другую, но у меня на нее пока нет денег...»

— Да?

— Да! А что ты так на меня смотришь? Ты что-то знаешь?

— Кое-что знаю, но не уверена, то ли это...

— Вика! Сию минуту говори, что ты знаешь?

— Я думаю, он эти деньги отдал тому киллеру.

— Киллеру? — в ужасе вскинулась Марта. — Какому киллеру, что ты плетешь?

— Значит, он тебе ничего не сказал...

— Вика! — вдруг топнула ногой Марта. — Сию минуту говори, что знаешь!

— Ладно, скажу, а вот ты молчи. Ни слова Мише... Я знаю, ты умеешь держать язык за зубами.

— Ну не мучай меня! — в слезах взмолилась Марта.

— Ладно, слушай! В один прекрасный день твой Бобров примчался ко мне домой и буквально с ножом к горлу потребовал от меня ответа, что связывает тебя с Горшениным. Я растерялась, не знала, как быть, экала, мекала, тогда он взбесился, а я испугалась. Короче, он сказал, что Горшенин нанял киллера, чтобы тебя убить...

— Господи помилуй! И что?

— Этот киллер не пожелал мокрушничать и явился к Боброву за бабками. Не знаю, о какой сумме шла речь, но уверена — деньги на машину ушли к киллеру. Значит, он тебе ничего не сказал... Настоящий мужик, не стал тебя пугать...

— Нет, ну надо же... Понимаешь, когда стало известно, что Горшенин сбежал, я почему-то заподозрила, что это дело рук Миши, а почему и сама не знаю. Он как-то вернулся домой и у него были сбиты костяшки пальцев, значит, он дрался... И я его спросила напрямик, не его ли это рук дело, а он только засмеялся и приложил палец к губам... Ох, значит, он знает про изнасилование... Это ужасно... просто ужасно... — горько разрыдалась Марта.

— Кончай реветь! Он что, стал хуже к тебе относиться? Не спит с тобой?

— Спит... и стал, кажется, еще нежнее.

— Тогда забудь все это как страшный сон.

— Господи, я же буду теперь любить его еще больше, но это же невозможно...

— Мой тебе совет — никогда и ни под каким видом не говори с ним об этой истории.

— Ну, на это и моего скудного умишки хватит, — улыбнулась Марта.

А Вика подумала: да за такую улыбку твой Бобров, не то что денег, а жизни не пожалеет.

...Бобров в самолете читал сценарий. Боже, какое фуфло! Джеймс Бонд для бедных! Неужто сами не понимают, что это никуда не годится? Нет, видимо, все-таки понимают, ежели ко мне обратились. Такое впечатление, что действие происходит в середине двадцатого века, когда не было ни персональных компьютеров, ни всех современных средств связи, а между тем сюжет крутится вокруг Олимпиады в Сочи. Абсурд! Бред! Чистой воды бред! Но Бобров был человеком добросовестным, а полет долгим, и он прочел сценарий до конца. И тут же написал весьма эмоциональный отзыв и отправил его Костенко. Интересно, какой идиот это писал? Бобров был зол. Воображаю, что там понаписала обо мне какая-то дамочка... Хорошо, что я оставил рукопись дома, а то от злости меня бы тут разорвало. Нет, о разведке могут писать только профессиональные разведчики. А все эти дилетанты... И какого черта я ввязался в эту историю?

Дневник

То, что мне рассказала Вика потрясло меня до глубины души. Миша все знает... Но, похоже, он просто любит меня и еще жалеет. Могу себе представить, что он пережил, когда к нему явил-

ся киллер. Тот, видимо, и сам не знал, за что меня надо убить, и Миша кинулся к Вике, чтобы понять... Господи, и у меня еще были к нему какие-то претензии. Дура! Идиотка! Я же знала, за кого выхожу замуж. Он просто привык все таить в себе. И пусть... Все равно я самая счастливая! И надо во что бы то ни стало найти работу, а то от безделья опять в голову полезут всякие дурацкие мысли. Голова-то глупая...

Природа Дальнего Востока привела Боброва в восторг. Такая мощь, такое величие. Надо будет обязательно привезти сюда мою Марту. Человек должен видеть это! Я так ясно представляю себе, как она плачет от восхищения всеми этими красотами, плакса моя любимая. А потом улыбнется сквозь слезы, и я в который уж раз сойду с ума от этой улыбки. Стоя на берегу океана, он вдруг подумал: кажется это можно назвать счастьем — работы невпроворот, я нужен, востребован, напряжение и опасности прежней жизни отпустили меня, мне интересно жить так, как я сейчас живу, и у меня есть Марта, женщина, которая мне по-настоящему необходима и явно предназначена судьбой. Выходит, я счастливый человек. И вдруг стало страшно, страшно до ужаса — так ведь не бывает!

Все от безделья

Марта замерзла и зашла в первое попавшееся кафе. Согреться и выпить кофе. Она долго слонялась по улицам, просто не зная, чем себя занять. Работы нет, муж в отъезде, готовить не надо, дом в порядке. Вот и таскалась по городу без всякой цели, зашла в обувной магазин, примерила красивые сапожки, но они оказались неудобными. Другие примерять не стала и решила пойти домой пешком — по крайней мере хоть физическая нагрузка. А в результате она сидит в кафе, пьет кофе и лопает торт. Черт знает что!

Вдруг к ее столику подбежала девчушка лет шести, хорошенькая, с рыжими кудряшками и вся в веснушках.

— Здрасте, — сказала девочка и улыбнулась.

— Привет, — улыбнулась ей Марта. — Ты откуда?

— Отсюда. Мама в туалет пошла, а мне скучно. Меня зовут Марфа!

— Марфа? А я Марта, разница всего в одну букву.

— Марта? А почему?

— Что почему?

— Почему вас зовут Марта?

— А тебя почему Марфой звать?

— Потому что Марфой зовут мою бабушку.

— А, поняла, а я родилась в марте, вот меня и назвали Мартой.

К столику подошла женщина лет сорока, очень худая и какая-то болезненная с виду.

— Извините ради бога, дочка совершенно не может быть одна...

— Да что вы, у вас очаровательная дочка, мне приятно было с ней поболтать.

— Мама, у нас с этой тетей разница в одну букву!

— Что это значит?

— Меня зовут Марта.

— А... Ну, в таком случае и мне следует представиться. Я Софья.

— Очень приятно, — улыбнулась Марта.

— Ой, какая вы красивая, когда так улыбаетесь!

— Спасибо!

— Ну, нам пора! Идем, Марфа! Будьте здоровы!

— И вам всего хорошего.

Софья с Марфой ушли.

Прошло три дня. Завтра должен вернуться Бобров, надо приготовить ему что-то вкусное, что он особенно любит. Продумав меню, Марта собралась было пойти в ближайший супермаркет, но передумала и решила смотаться на Рижский рынок. Она любила готовить для мужа и любила ходить по рынку. Сказано — сделано! Она выбрала большой кусок хорошей нежирной баранины, купила свежих овощей, потом вспомнила, что недавно ела у Вики рис с куркумой и купила кулечек куркумы. Вдруг кто-то дернул ее за полу пальто.

— Тетя Марта, здравствуйте!

— О! Марфа! Здравствуй, дорогая! — обрадовалась Марта. — Ты с кем здесь?

— С мамой! Вон она, рыбу выбирает! Мама, мама, смотри, тетя Марта.

— Ох, здравствуйте, — заулыбалась Софья. — Знаете, Марфа в вас просто влюбилась. Все твердит — хочу к тете Марте!

— У вас очень славная дочка. И такая хорошенька!

Марта совершенно не знала, как ей дальше быть. Почему-то вдруг захотелось поскорее уйти.

— Ради бога извините меня, но мне нужно спешить, сегодня муж возвращается...

— Да-да, конечно. Всего вам доброго!

И хотя Марта купила далеко не все, что собиралась, но, подхватив пакеты, выбежала на Проспект Мира и поймала такси. Она и сама не могла бы объяснить, в чем дело. Почему-то эта Софья внушала ей страх. Но ведь это бред. Она же ровным счетом ничего от меня не хотела. И если бы не ребенок, скорее всего и не подошла бы ко мне... Это все у меня от безделья...

Ей позвонила тетка Боброва Милица Артемьевна.

— Мартинька, как ты? Мишка все в разъездах? Я видела его в новостях.

— Где?

— Ну там, на острове Русский, он мелькнул, когда показывали этот, как его, форум, что ли... Я горжусь своим племянником.

— Он завтра возвращается, а я, похоже, схожу с ума без работы.

— Ничего, найдешь ты работу. Кто ищет, тот всегда найдет, забыла нешто!

— Вот разве что...

...Бобров вернулся домой веселый, сияющий.

— Маленькая, при первой же возможности махнем с тобой на Дальний Восток! Это надо видеть! Ой, как вкусно пахнет! Да, в гостях хорошо, а дома все равно лучше. Ты с Милей говорила?

— Говорила, конечно. У нее все в порядке, но скучает, говорит, если бы не Тимошка, совсем бы плохо...

— В субботу поедем к ней.

— Обязательно!

— Ну, а что ты тут без меня делала?

— Работу искала. Пока тщетно.

— Ничего, найдется работа, — беспечно махнул рукой Бобров. — И чего тебе неймется, другие женщины мечтают сидеть дома.

— Вот и женился бы на такой, мечтающей! — вдруг выкрикнула Марта.

Бобров удивился.

— Маленькая, ты чего? Что-то случилось?

— Ничего не случилось, просто у меня от безделья уже крыша едет.

И Марта рассказала мужу о встречах с Марфой и ее матерью.

— Ну, ты даешь! Мало ли с кем можно столкнуться два раза подряд в одном районе. Да, нервишки гуляют. Ладно, так и быть, поговорю кое с кем. Конечно, работы радиоведущей я не обещаю, но что-то придумается.

И когда Марта ушла в ванную, он позвонил Костенко.

— Ох, Михаил Андреевич, получил ваш отзыв... Это катастрофа!

— Согласен. Знаете, разведка это область, не терпящая дилетантизма, даже в кино.

— Михаил Андреевич, голубчик, мой брат жаждет встретиться с вами лично, все обсудить, может, вы кого-то порекомендуете для работы над сценарием, а вы будете числиться главным консультантом, мы напишем в титрах.

— Ну, это последнее, что мне в этой жизни нужно, но у меня возникла одна идея. Полагаю, такой вариант устроит всех.

— Я весь внимание!

— Возьмите в соавторы сценария мою жену.

— Но...

— Погодите, Игорь Олегович! Моя жена выпускница журфака. У нее отличное перо и, как вы понимаете, в такой ситуации я буду отслеживать буквально каждый шаг...

— Да, но...

— К тому же в том варианте сценария, который я читал, великое множество языковых погрешностей, элементарной безграмотности, и участие интеллигентной и в высшей степени грамотной женщины было бы нелишним.

— Вы, разумеется, правы, но я должен поговорить с братом, в этом раскладе я ведь только посредник, — промямлил Костенко.

— Игорь Олегович, я не стану больше ничего вам навязывать, это не в моих правилах, но ищите себе другого консультанта, в конце концов я свою часть договоренности выполнил, прочел этот бред и хватит с меня.

— Постойте, Михаил Андреевич, я же не сказал «нет». Давайте встретимся, я буду с братом, вы с вашей супругой и мы поговорим...

— Ну что ж, попытка не пытка, — согласился Бобров.

Они условились на днях поужинать вчетвером и все обсудить. Бобров был очень собой доволен. И когда Марта вышла из ванной в красивом шелковом халате, пахнущая его любимыми духами и такая соблазнительная, что он едва удержался, чтобы не увлечь ее сразу в спальню.

— Маленькая, кажется, я нашел тебе работу.

— Работу? Какую?

— Которая, на мой взгляд, устроит всех.

— Кого всех?

Бобров ввел ее в курс дела.

— Миша, но это абсурд! Что я смыслю в вашем шпионском деле?

— В шпионском деле смыслю я, твой муж! И поверь, я своей любимой жене никогда не откажу в консультации. К тому же этот сценарий написан из рук вон плохо, уж с этим ты справишься вне всяких сомнений.

— Миша, ты не понимаешь, чтобы писать сценарий, надо иметь особый взгляд и образ мысли, сценарист должен мыслить... как бы это сказать... картинками, а мне это не дано и вообще...

— Что?

— Ты подумай, как ко мне будут там относиться? Как к досадной помехе, сугубо непрофессиональной бабенке, которая ни в чем кроме русского языка не смыслит, а русский язык их волнует в последнюю очередь. Я буду чувствовать себя ужасно! Нет, нет и нет!

Бобров озадаченно смотрел на жену. Она не плакала как обычно, а говорила твердо, уверенно, и непоколебимо. Надо же, какая она...

— Маленькая, а ведь ты права! Мне показалось...

— Тебе показалось, Мишенька, — улыбнулась Марта.

— Ну хорошо. Но у меня есть к тебе просьба.

— Какая?

— Видишь ли... даже не знаю как сказать...

— Ты? — удивилась Марта. — Ты не знаешь как сказать? Что же это за просьба, я даже боюсь...

— Видишь ли, в одном издательстве хотят издать роман обо мне.

— Роман о тебе? И ты хочешь, чтобы я его написала? — вытаращила глаза Марта.

— Нет, там уже его пишут, — как-то смущенно проговорил Бобров, хотя смущение было ему несвойственно.

— Обалдеть! И кто его пишет?

— Какая-то Нонна Слепнева. Я смотрел в Интернете, там о ней практически ничего нет, но издатель говорит, что издал два ее романа...

— Так что ты от меня-то хочешь?

— Прочти то, что уже написано, посмотри, съедобно ли это вообще. Мне просто некогда, да и глупо как-то читать недописанный роман о себе... Бредятина какая-то.

— А там уже много написано?

— Издатель сказал, что треть примерно... Вот в этой папке...

— Мишка, и ты даже не заглянул в текст?

— Да ну... Совестно как-то... — скривился Бобров.

— Ладно, погляжу! Интересно все-таки прочесть роман о собственном муже. Послушай, а с чего эта тетка взялась писать о тебе? Ты с ней знаком?

— Да сроду даже не слыхал о ней! Но Костенко, это издатель, говорит, что она читала обо мне в прессе и вот... вдохновилась... Ну, это не впрямую обо мне, наверное, просто...

— Тогда зачем им твое мнение?

— Я думаю, не мнение им нужно, а мои консультации, чтобы тетенька не написала каких-то несусветных глупостей. Маленькая, пожалуйста, прочти и попробуй взглянуть на это непредвзято!

— Попробую. Хотя не ручаюсь... Она пишет не на компьютере? Странно, наверное, уже немолодая тетка... — предположила Марта. — Но это хорошо, не люблю читать книги в компьютере.

— Ты, если что-то касается разведки, помечай галочкой, потом мне покажешь.

— Ну конечно!

— А относительно работы над сценарием ты права, маленькая! И я тебя уважаю.

Утром, проводив мужа, Марта открыла пресловутую папку. Названия у романа пока не было. Фамилия героя была Барсуков. Борис Барсуков. Роман был очень неплохо написан и достаточно увлекательно. Там все начиналось с детства героя. Он, как и Бобров, вырос в Москве в хорошей интеллигентной семье, но дядька героя был разведчиком и его история так увлекла мальчишку, что он решил пойти по стопам родственника, вопреки воле родителей. Но родители погибли в автокатастрофе, и парня взял тот самый родственник, бывший разведчик. Пока особых совпадений с жизнью Боброва Марта не обнаружила. Но это была лишь первая глава. А дальше... Хотя Марта почти ничего не знала о жизни Боброва за границей, но она вдруг почувствовала, что писательница по уши влюблена в своего героя, и вдруг показалось, что она знает о Боброве куда больше, чем Марта. Что это значит? Марта узнавала какие-то черты своего мужа в этом Барсукове, и даже какие-то его обороты речи... Он, например, называет там свою жену «малышка», а Бобров всегда говорит жене «маленькая». Марта вскочила и бросилась к компьютеру. Набрала в поисковике «Нонна Слепнева». Сведения минимальные: родилась в Пскове, окончила педагогический институт, какой именно, не сказано, написала два романа, не замужем, и какая-то невразумительная фотография. Ей тридцать два года. Живет в Псковской области. Что-то преподает в школе. Ерунда какая-то... Марта не поверила этим сведениям. Они явно выложены в Сеть лишь для того, чтобы навести тень на плетень. У Марты вдруг зародились нехорошие подозрения. Может быть, она какая-то знакомая Миши? Может, как-то связана с ним, может, тоже бывшая разведчица, хотя вряд ли, иначе в Интернете была бы более приемлемая легенда... Или они где-то пересеклись с Мишей, она влюбилась в него и решила о нем написать. Это возможно, вполне возможно: он ведь живой человек, а мужчины полигамны, и если Миша не устоял... Дамочка рисует своего Барсукова эдаким мачо, рыцарем без страха и упрека. Но ведь мой Миша такой и есть... По крайней мере на первый взгляд. Это только я знаю, каким он был, когда мы встретились. Как утыкался лицом мне в грудь и замирал, а я думала, что он плачет, но глаза оставались сухими. Да ну, ерунда, я бы почувствовала, если бы Миша мне изменил. Просто эта Нонна Слепнева, похоже, талантливая писательница, нашла кучу сведений о Мише и в прессе, и в Сети, из некоторых его интервью почерпнула какие-то мелочи и использовала в романе... Она вполне могла увидеть его по телевизору и влюбиться в него. Если б я такого увидела, тоже влюбилась бы, но я вытянула в жизни счастливый билет и нечего придумывать себе всякие ужасы! Марта дочитала рукопись. Если отбросить дурацкие мысли, роман ей скорее понравился.

Бобров вернулся домой очень поздно, бледный от усталости, ни о чем не спросил. Марта видела, что он раздражен и, пожалуй, даже зол.

— Миша, что-то случилось? Неприятности?

— Да нет, просто проторчал в пробке полтора часа, поневоле взбесишься... Но вот домой пришел, сразу легче стало. И еще я голоден как волк!

— Садись, буду кормить.

Когда Бобров утолил первый голод, Марта сказала:

— Миш, я прочла роман.

— И что скажешь?

— Она талантливая, эта женщина. Пишет хорошо и просто по уши влюблена в своего Барсукова...

— Барсукова?

— Ну, Барсуков это Бобров. И, похоже, она знает о тебе больше, чем я.

— Что за бред!

— Мне так показалось. Но пишет хорошо. Я отметила там несколько абзацев, которые внушили мне сомнения, ты потом взгляни.

— Нет, пока не буду смотреть. Вот когда весь роман будет написан...

— Нет, так не годится, может, она начнет развивать эту тему и наделает кучу ляпов, а потом исправлять будет трудно.

— Ох, маленькая, твоя доброта поистине безмерна, — засмеялся он. — Ладно, завтра посмотрю.

Дневник

Господи, как мне трудно бывает сдерживать себя, свое любопытство, свою ревность! Хотя к кому ревновать? К какой-то тетке, которая пишет роман? Нет, я ревную его и к прошлой жизни, и к нынешней, ко всем этим его бесчисленным делам, к радио, телевидению, к студенткам, которые, по словам Вики, чуть ли не поголовно в него влюблены. Понимаю, это глупо.

Зазвонил телефон. Корней!

— Мартуся, привет!

— Привет, Корнюша! Как жизнь? Работу нашел?

— Да вот есть предложение, но не мне, а нам обоим!

— Да ты что! — обрадовалась Марта. — Что за предложение?

— Оказывается, мы с тобой — бренд!

— И что?

— Предлагают нам вместе вести всякие корпоративчики, концертики. Как ты на это смотришь?

— То есть не на радио?

— Нет!

— Есть уже что-то конкретное или это пока просто разговоры?

— Нет, вполне конкретно. В ближайшую пятницу предлагают провести корпоратив в клубе...

— Что за клуб?

— Очень приличное место для солидных людей. И очень прилично платят. Юбилей одного банка. Сейчас немодно уже отмечать такие штуки с бешеным размахом и приглашать суперзвезд. А мы хоть и не звезды, но все-таки раскрученный бренд. Мартуся, соглашайся! У меня дети. А один я, сама понимаешь, не бренд!

— Господи, Корнюш, я согласна конечно же, сама без работы дохну!

— А твой шпион возражать не будет?

— С чего бы ему возражать!

— Вот и славно! Ты сегодня дома? А то я бы заехал, мы бы все прикинули, набросали примерный сценарий, а завтра уже вдвоем встретились бы с заказчиком?

— Приезжай!

Марта ликовала! Наконец-то! А может, кто-то в результате опять пригласит нас на радио? Вот кто-то вспомнил о нас и предложил эту работу. Конечно, все будет зависеть от того, как мы проведем первый наш корпоратив. Корней когда-то с этого начинал, он поможет, он надежный товарищ.

Новая работа

Бобров вошел в квартиру и сразу уловил запах табака. В квартире кто-то курил. А Марта вышла ему навстречу такая сияющая, что он насторожился.

— Мишенька, мне предложили работу!

— А кто тут курил?

— Корней! А я проветривала. Ну и нюх у шпионов! Голодный?

— Нет, я же ужинал с издателем и режиссером. Видела бы ты, как они просияли, когда я сказал, что ты отказалась с ними сотрудничать. Так что за работа? Опять на радио?

Марта быстро ввела его в курс дела.

— Нет, ты не будешь этим заниматься! — резко бросил Бобров.

— Почему это? — опешила Марта.

— Потому что я этого не хочу. Я не желаю, чтобы моя жена выставляла себя напоказ каким-то подвыпившим мудакам! Чтобы они хотя бы мысленно ее лапали... Короче, ты меня поняла!

— Нет, я тебя не поняла! А если бы я работала не на радио, а на телевидении?

— Если бы да кабы... Это другое, а тут ты будешь доступна...

— Миша! Я же буду с Корнеем!

— Ну и что! Короче, нет!

— А почему ты считаешь себя вправе что-то запрещать мне? — каким-то странным неживым голосом произнесла Марта. — Это мне решать, работать или нет, тем более что у Корнея трое детей, которых надо кормить, а без меня этой работы у него не будет. А если тебя это не устраивает, то я тебя не держу...

Теперь уже опешил Бобров.

Но тут Марта заплакала, и он успокоился.

— Ты... ты... — рыдала она, — ты всего хочешь меня лишить! Ты уже лишил меня кота...

— Маленькая, но ты же знаешь, ему на даче лучше, он там наслаждается...

— Да, он там наслаждается, ты тут наслаждаешься своей востребованностью, а мне что делать? Короче, так: я принимаю это предложение Корнея. А ты... как хочешь. Я не могу даже ради такой любви... какая у нас была... потерять себя.

— Почему была? — вдруг испугался Бобров.

— Потому что я уже ни в чем не уверена...

— Дура, какая же ты у меня дура... Да если моя жизнь приобрела за этот год какой-то новый смысл, то только благодаря тебе. Ну хорошо, если ты настаиваешь... ладно, попробуй! Это ведь не каждый день будет?

— Господи, может, мы еще провалимся в этой роли... Я в принципе могла бы и вообще тебе ничего не говорить, это будет в пятницу, когда у тебя эфир на «Резонансе», но я ничего от тебя не скрываю...

Он обнял ее, прижал к себе.

— Ну прости, прости, маленькая. Делай как знаешь. Ты из меня веревки вьешь, а это практически ни одной женщине не удавалось...

— А их много было?

— Достаточно, — засмеялся Бобров. — Ну все, хватит слез, ты вообще у меня такая плакса...

Почему я всегда считал, что она совсем слабая? Это мне в минус, я не понял, что внутри этой хрупкой, частенько плачущей женщины такой стержень. Я только сегодня вдруг это осознал, когда она сказала, что не держит меня. А я испугался, я не могу без нее... Уже эта история с изнасилованием... Девочка четырнадцати лет сама, без всякой посторонней помощи справилась с этим ужасом! И чего я полез в бутылку, зачем что-то ей запрещать? Она чистый, чудесный человек, к таким всякая пакость не липнет. Да и Корней хороший мужик... Это ревность, Миша, самая элементарная ревность, которая была тебе попросту незнакома до встречи с Мартой. Но глупо же ревновать в принципе, ни к кому, просто к ситуации, в которой может оказаться твоя жена, женщина с таким стержнем... А ведь я ее не просто люблю, я ее еще и уважаю. В самом деле, пусть попробует, а я без нее не могу. Химия, что поделаешь...

Марта волновалась, но не смертельно, скорее ощущала какой-то странный подъем, почти вдохновение.

— Что, Мартуся, нервничаешь? — ласково спросил Корней.

— Есть маленько, — улыбнулась она.

— Ты сегодня потрясно выглядишь! Твой тебя спокойно отпустил?

— Не совсем. Пришлось-таки побороться.

— Неужто и железного разведчика поборола?

— Поборола! Только он не железный...

— А какой? Эластичный?

— Корнюша! Я тебя обожаю!

К ним подошел весьма энергичного вида мужчина, распорядитель сегодняшнего вечера.

— Здравствуйте, господа! А это и есть Марта? Вы еще и красивая! Я так и думал! Знаете, я частенько в машине слушал ваше радио! Хоть оно в основном рассчитано на женщин, но здорово помогает расслабиться в пробках.

— Помогало! — вставил Корней.

— Увы, увы! Не унывайте, ребята, ваш дуэт настолько гармоничен, я убежден, вы не пропадете!

— Мы с Мартой сейчас поплюем через левое плечо!

— И постучим по дереву! — прибавила она.

Мужчина, его звали Аркадий Аркадьевич, взглянул на часы.

— Через пять минут начинаем!

Не зря Марта ощущала подъем. У них все получилось! Публика оказалась легкой, доброжелательной, и они почти не придерживаясь намеченного текста, вовсю импровизировали, и в основном очень удачно, что создало в зале атмосферу почти семейного праздника. Народ смеялся, аплодировал, и, хотя все сидели за столиками с едой и напитками, слушали их внимательно и с удовольствием.

Во время выступления исполнительницы цыганских романсов Корней шепнул:

— Да, Мартуся, не зря мы с тобой четыре года работали в тандеме, понимаем друг дружку с полуслова. И если у нас это дело пойдет, будем зарабатывать куда лучше, чем на радио.

Марта опять поплевала через левое плечо.

— В зал спускаться не будем, — решительно сказал Корней, имевший опыт корпоративных праздников, — я предупредил, что сразу уедем.

— Почему?

— Это лишнее. Народ подвыпивший и могут возникнуть нежелательные моменты.

— О! Ты прав. Я это обязательно скажу Мише.

— А я, между прочим, видел тут твоего Мишу.

— Что?

— Был он тут, мелькнул. Видно, решил проверить.

— Ты так шутишь?

— Нисколечки!

— А почему ты мне не сказал?

— Не хотел нервировать. Вон как всполошилась!

— Но как он сюда прошел, это же закрытое мероприятие?

— Ну, мало ли как! Шпион все-таки, ах, извини, разведчик!

— Ну и пусть! — рассмеялась Марта. — Делать ему нечего... Нет, надо же, у него столько дел, а он приперся...

— Любит!

— Спасибо, ребята! — подошел к ним Аркадий Аркадьевич. — Справились отлично, народ доволен! Вот, держите, как договаривались! — И он вручил им два довольно пухлых конверта. — Буду иметь вас в виду!

Корней довез Марту до дому.

— Скажешь своему, что его засекли?

— Обязательно! — рассмеялась Марта.

Свет горел только на кухне.

— Миш, ты дома?

Бобров пил чай.

— Ну как? — осведомился он.

— Отлично! Но ты же и сам знаешь... Да, Мишка, растренировался ты...

— Ты о чем!

— Засекли тебя, разведчик!

— Быть не может!

— Но ты не отрицаешь, что был в этом клубе?

— Нет, не отрицаю, да я особо и не скрывался. А вы с Корнеем и впрямь хороший дуэт. Молодцы!

— И все-таки зачем ты туда приперся? Не доверяешь мне?

— Ерунда! Я слишком самоуверенный тип, чтобы сомневаться в тебе. Просто хотел убедиться, что это приличное место, а не какой-нибудь вертеп!

— И что, убедился?

— Да. Как только убедился, сразу ушел.

— И в следующий раз тоже припрешься? Если он, конечно, будет, этот следующий раз.

— Думаю, будет. Нет, я уже понял, что Корнею, отцу троих детей, негоже появляться в каких-то малопочтенных местах.

— Ну, это смотря сколько заплатят, при трех детях особо не привередничают, — засмеялась Марта.

— Ты у меня дошутишься! — с притворной строгостью произнес Бобров. — Да, я поговорил с Костенко насчет нашей писательницы, сказал,

---

что хочу с ней познакомиться, но она, оказывается, куда-то уехала, вернется дней через десять.

— Ну и ладно! Я в душ!

Марта снова пребывала в хорошем настроении. Еще бы! Их с Корнеем опять пригласили вести юбилейный вечер какой-то фирмы.

— Погоди еще немного и нас возьмут куда-нибудь на радио, — говорил Корней, — но только надо будет сразу выговорить себе право работать на корпоративах, совершенно другие заработки!

— Обязательно! — соглашалась Марта.

А Вика вдруг заявила, что не станет искать работу. Доктор Пыжик, с которым они наконец съехались, попросил ее заняться его делами и документами, на что Вика с радостью согласилась.

— Но что ты смыслишь в медицине? — удивилась Марта.

— В медицине ничего, но в делопроизводстве разбираюсь и этого достаточно. Саша опасается, что его могут подставить с документами, а я этого не допущу.

— Ты будешь официально у него в клинике работать?

— Нет, конечно! Я просто буду все контролировать. Пыжик снимает копии со всех бумаг, которые проходят через его руки.

— И тебе это не скучно?

— Ни капельки! К тому же я с таким удовольствием занимаюсь домашними делами, даже сама не думала... А его мамаша-хирургиня очень это одобряет.

— Иными словами, у нас все хорошо? — обрадовалась Марта.

— Очень хорошо, я бы сказала! — отозвалась Вика.

Странно!

Подруги сидели в «Венском кафе» на Рижской и весело болтали о том о сем.

— А жениться думаете? — спросила Марта.

— Решили годик подождать, а то вдруг не споемся.

— Это твое решение или Пыжика?

— Общее.

Тут к их столику подбежала девочка.

— Ой, тетя Марта, здравствуйте!

— Марфа? Ты откуда? — удивилась та.

— А я вас в окошко увидала, мама пошла в магазин, а я забежала с вами поздороваться!

— Ну, здравствуй! Ты садись, может, заказать тебе что-нибудь?

— Нет, спасибо, мама не разрешает!

— Марфа, ты где-нибудь поблизости живешь?

— Нет, мы живем на Мичуринском проспекте.

— А мама, вероятно, тут работает?

— А мама сейчас не работает.

Тут к их столику подошла запыхавшаяся Софья.

— Здравствуйте! Извините ради бога, дочка просто бредит вами... Идем, Марфа! Еще раз извините!

— Да нет, я рада была ее повидать, она выросла... — лепетала Марта, опять чувствуя какую-то смутную тревогу.

Софья взяла Марфу за руку и они ушли.

— И что это все значит? — спросила Вика. — Девчонка хорошенькая, а мамаша неприятная.

— Тебе тоже показалось?

— Да! И потом, как такая малышка могла увидеть тебя в окно? Мы сидим не у окна, а окна тут высокие? Ты откуда их знаешь?

Марта рассказала Вике о своем знакомстве с Марфой и Софьей.

— Мишка говорил, что если живешь в одном районе, встретиться немудрено. Но они, оказывается, живут на Мичуринском.

— Ну, тут могут жить какие-то родственники, бабушка, к примеру.

— Да, такое возможно. Но меня почему-то пугает эта Софья, хотя она совершенно ненавязчива и вполне деликатна.

— А папа там есть?

— Понятия не имею!

— Ну и бог с ними. Забудь!

— Постараюсь!

Но какое-то неприятное чувство от этой встречи все-таки осталось.

Дневник

Что за странная история с этой девочкой и ее мамашей? Почему меня это пугает? Ведь они ничего от меня не хотят, никак не навязываются. Я вполне допускаю, что это у меня просто бзик. Не буду ничего говорить Мише. Зачем? Он в очередной раз посмеется надо мной.

Позавчера мы ездили к Милице. Она неважно выглядит. Надо бы ее показать Пыжику, он такой удивительный доктор... Но она ни в какую, говорит, просто что-то с желудком. Не знаю, но мне тревожно. Зато Тимошка цветет. Он сейчас так распушился. Я его вычесала, такой красавец... Миша прав, ему на даче лучше, а я тоскую по нему. Я приходила домой, он всегда бежал мне навстречу, ласкался, мурчал. А теперь я часто возвращаюсь в пустую квартиру, а Миша приходит поздно. Знаю, что ревновать мужа к работе попросту глупо, но ничего не могу с собой поделать. Мне всё же удается держать себя в руках и не подавать виду. Я хорошо играю свою роль умной понимающей жены, а на деле я дура дурой, ревную его, и еще какая-то женщина пишет о нем роман. Кто она такая? Петька частенько по скайпу со мной связывается, спрашивает, все ли у меня хорошо. Я сияю, улыбаюсь как подорванная, мол, счастье безоблачное, а на самом деле облаков ох как много, но пока хоть не тучи и даже, пожалуй, облака пока перистые... А в общем-то все нормально и даже хорошо!

Марте вдруг позвонила Дарья Николаевна, медсестра, которая летом ставила ей капельницы.

— Марточка, я чего звоню... Милица-то Артемьевна слегла, пневмония у нее двухсторонняя, в больницу ни за что не желает, а я не могу с нею круглые сутки быть, внуки у меня...

— Я приеду! — сразу сказала Марта. — Даже не сомневайтесь, сейчас соберусь и приеду и поживу с ней, пока не поправится. Буду скоро. Может, надо купить что-то из лекарств?

— Нет, ничего не надо, хотя, пожалуй, купите клюквы, побольше, ей сейчас полезно.

— Дарья Николаевна, вы меня дождитесь! Я скоро!

— Конечно, Марточка, дождусь!

Марта начала лихорадочно собираться. Покидала в сумку необходимые вещи и вызвала такси. Заехала на рынок, купила клюкву, коробочку малины, которую Милица Артемьевна обожает, еще каких-то вкусностей и, только уже выехав за МКАД, позвонила мужу. Голос на автоответчике произнес: «У меня сейчас лекции, оставьте сообщение, я перезвоню». Марта в раздражении скрипнула зубами. «Миша, заболела Милица Артемьевна, у нее воспаление легких, я пока поживу у нее. Целую. Освободишься, позвони!»

На кухне Дарья Николаевна заваривала чай.

— О, Марта! Вы быстро, молодчина.

— Как она? — шепотом спросила Марта.

— Температура вроде немножко упала. Тридцать восемь и две. А была тридцать девять и пять.

— А доктор был?

— Да, конечно! Пал Палыч наш, чудесный доктор. Антибиотики назначил, помогают. Спит она сейчас. И ведь ни за что врача звать не хотела, упрямая...

— А вы сказали, что я приеду?

— А как же! Она, понятное дело, рассердилась, но нельзя же в самом деле ее одну оставлять.

— Ну ничего, не прогонит же она меня. Дарья
Николаевна, вы мне напишите, что и когда нужно
делать. Какие лекарства...

— Да уж написала все. Вы, Марточка, если
что, звоните. Но, думаю, справитесь. Еда есть, да
она вряд ли сегодня что-то захочет. Ну, я пойду,
наверное. Температуру мерить не забывайте. А ве-
черком давление...

Милая женщина ушла. Марта заглянула к Милице Артемьевне. Та спала.

Вот и хорошо, подумала Марта. Бабушка всегда говорила: «Сном все пройдет», а папа смеялся:
«Главное, чтобы жизнь сном прошла, лучше всего
умереть во сне».

— Даша, — окликнула Милица Артемьевна.

— Милечка, Дарья Николаевна ушла!

— Мартинька! Зачем приехала?

— Как зачем? За вами ухаживать! Как вы себя
чувствуете?

— Ну, не по-богатырски, но ничего, главное я
себя еще чувствую вообще...

— Можно я ваш лоб пощупаю?

— Разумеется, можно.

— О! Температура еще есть, но уже не очень высокая, давайте-ка градусник поставим.

— Ну давай! Как там Мишка?

— В вихре вальса.

— Ты сердишься на него?

— Нет, просто скучаю по нему. Он занят с утра до ночи. Дайте-ка градусник! О, тридцать семь и семь! Отлично! Хотите, переодену вас, оботру салфетками?

— Не хочу! Дарья меня обтирала, и рубашка у меня свежая. А вот пить я хочу!

— Я вам морс сварила клюквенный, но он еще не остыл.

— А дай мне горяченького морса, я люблю!

— Сейчас! — обрадовалась Марта и кинулась на кухню. — Вот! Пейте, Милечка!

— Вкусно! А знаешь, я рада, что ты приехала, а сперва сердилась на Дарью. Ты вот улыбаешься, а мне лучше. У тебя улыбка какая-то целебная...

— Скажете тоже! — засмеялась Марта.

— Ну, рассказывай, что там у вас происходит?

— Да, собственно, нечего рассказывать. Будни.

— Ты так грустно это сказала...

— Милечка, а вы хорошо знали Мишину жену?

— Надю?

— А разве была еще какая-то?

— Да нет. Я ее мало знала. Видела раза три. А почему ты спрашиваешь?

— Так...

— А Мишка что, тебе о ней ничего не рассказывал?

— Даже словечком не упомянул. А я... я не смею спрашивать... Если бы не вы, я бы и не знала, что он был женат. А какая она была? Красивая?

— Миловидная, скорее. Неброская. Женственная. Шатенка с карими глазами. Они с Мишкой даже были чем-то похожи. Интересно, почему он тебе ничего не сказал...

— А что он вам сказал, когда вернулся?

— Что она погибла, ее сбила машина. И попросил никогда не говорить на эту тему.

— Наверное, очень ее любил...

— Чего не знаю, того не знаю. Мартинька, милая, не мучай себя, ее давно нет на свете. Мишка без памяти тебя любит. Мужчины они всегда такие — работа превыше всего!

— Да я понимаю... Ой, у вас глаза слипаются. Вам надо спать побольше!

— Да, я, пожалуй, посплю. А ты поешь, чаю попей...

Милица Артемьевна уснула.

Марта на цыпочках вышла из ее комнаты. Забрались с ногами на диван в гостиной и тихонько включила телевизор. Странно, что Миша не звонит, лекции уж давно кончились. Но тут он как раз позвонил.

— Маленькая, что стряслось? Это серьезно?

— Воспаление легких всегда серьезно! А в ее возрасте тем более.

— Я приеду!

— Не стоит! У тебя был тяжелый день... куда тебе мчаться за город в темноте...

— Ерунда! Я приеду и переночую там. Неохота возвращаться в пустую квартиру. Все, еду! Может, надо что-то привезти?

— Да вроде нет.

Марта обрадовалась. Полезла в холодильник, есть ли там, чем покормить мужа. И тут вдруг за кухонным окном раздалось отчаянное мяуканье. Тимоша! Обычно для него оставляли открытой форточку в кухне, но Дарья Николаевна, видимо, забыла. Марта открыла форточку. Огромный кот легко вскочил с карниза в форточку и увесисто шлепнулся на подоконник.

— Привет, мой хороший!

Марта схватила его на руки. Кот сразу замурлыкал. Обрадовался хозяйке.

— Ох, я и дура, ты небось голодный, а я лезу с ласками...

Она спустила кота на пол и открыла ему баночку с его любимым кормом. Кот набросился на еду и вмиг все слопал. Дома, в Москве, он никогда не ел с такой жадностью, а тут, на свежем воздухе...

Утолив голод, Тимоша принялся умываться.

— Скоро Миша приедет, — сказала ему Марта.

Кот поднял голову. Он обожал Боброва, словно понимая, что именно тот устроил ему эту привольную жизнь, с птичками, мышками и прочей прелестью...

— Понимаю, у вас мужское братство, — вздохнула Марта и погладила кота, почесала за ухом и под подбородком. — А вообще-то это я тебя подобрала на помойке, но все вы, мужики, такие неверные... Я, конечно, виновата перед тобой, кастрировала тебя, бедолагу...

Но тут Тимоша вдруг вскочил к ней на колени, громко мурлыча.

— Ах ты мой золотой, — растрогалась Марта, целуя кота в лобик.

Бобров долго добирался до дачи. Снегопад, пробки... Надо завтра с утра расчистить снег, подумал привычно. Взбежал на крыльцо, открыл дверь ключом, вошел. Все тихо, только еле слышно бубнит телевизор. В гостиной на диване спала Марта в обнимку с Тимошей. Бобров застыл на пороге. Какая она маленькая, хрупкая и как я ее люблю... Но тут Тимоша поднял голову, спрыгнул с дивана и устремился к Боброву. Марта открыла глаза.

— Ой, Миша, я заснула...

— Ну как тут?

— Вроде неплохо... Сейчас посмотрю.

Марта бросилась в комнату Милицы Артемь-евны. Та спала.

— Спит! Мишка, я соскучилась!

— А я как соскучился! Отменил сегодня одну консультацию, чтобы приехать, но такие жуткие пробки...

Он обнял жену.

— Ты голодный?

— Нет.

— Ну, чем ты сегодня занимался, кроме лекций?

— Да вот, встречался с Костенко, он всучил мне продолжение романа. Поглядишь на досуге?

— Конечно. А эта авторша так и не прояви-лась?

— Костенко сказал, через две недели она будет в Москве и тогда он нас познакомит.

— Любопытно, что за таинственная особа...

— Думаю, страхолюдка какая-нибудь.

— Но небездарная. И, видно, углядела тебя по телеку, влюбилась и решила написать про тебя; собрала все, что нашла в Интернете...

— Маленькая, ты что, ревнуешь? — рассмеялся Бобров. — Но это же глупость несусветная...

— Да я понимаю, — улыбнулась Марта.

Но тут Милица Артемьевна позвонила в колокольчик, который стоял у нее на тумбочке.

— Мартинька, ты с кем там говоришь? Нешто Мишка приехал?

— Приехал, а как же!

— Миля, что это тебе вздумалось болеть? — вошел в комнату Бобров. — Ты вроде не любительница?

— Это та самая проруха на старуху! Я ведь уже старуха, Мишка!

— Какая ты старуха! Что за ерунда!

— Да как же не старуха, семьдесят восемь уже!

— Какое значение имеют цифры! К тебе это не относится!

— Милечка, вот градусник! — вмешалась Марта. — А потом давление померяем!

— Дай-ка мне лучше сигареты!

— С ума сошла! — возмутился Бобров. — Воспаление легких и сигареты две вещи несовместные, как гений и злодейство!

— Много ты понимаешь! Раз я хочу курить, значит, мне гораздо лучше! И не спорь со мной, я лучше знаю!

— В самом деле, Миша, мне Дарья Николаевна сказала, что Миля даже смотреть не хотела на сигареты, а теперь... О, а температура практически нормальная, тридцать семь и одна!

— Мартинька, сигарету!

— Одну!

— Пока одну!

Марта подала ей сигарету и зажигалку.

— Мишка, подай пепельницу!

— Тьфу на вас! — рассмеялся Бобров и принес пепельницу. — Безобразие просто!

Разговор по душам

За ночь навалило еще много снегу. Бобров расчистил дорожку, позавтракал и умчался в город. Температура у Милицы Артемьевны с утра была нормальная. Позвонила Дарья Николаевна справиться о состоянии больной. Марта все доложила.

— Слава богу! И курить небось уже начала?

— А как же!

— Ох, грехи наши тяжкие! Марточка, тогда я сегодня не приду, а вы продолжайте давать ей все лекарства. Завтра после обеда Пал Палыч наведается.

— Знаешь, Мартинька, — сказала Милица Артемьевна, — я, по-моему, так быстро пошла на поправку из-за твоей улыбки. Ты и Мишку ею вылечила, совершенно другой человек стал.

— Милечка, а какой он был в детстве?

— В детстве? Я его всегда любила. Хороший он был, правильный, но только упрямый как осел!

Учился очень хорошо, но школу терпеть не мог, скучно ему там было...

— Ох, я это понимаю, мне тоже было скучно... и противно. Фу!

— Противно? Почему?

— А я училась в школе, где училось много дипломатических детей. Они в большинстве своем были такими снобами, задаваками...

— Но ты ведь тоже была дипломатическим ребенком?

— Ну и что? Все равно ненавижу снобов, а тем более малолетних, да и вообще... Я даже на выпускной вечер не пошла, хотя мама прислала мне шикарное выпускное платье.

— Зря, выходит, прислала? — улыбнулась Милица Артемьевна.

— Почему зря? Я его потом долго носила.

— А что ж ты делала, когда все гуляли на выпускном?

— В покер играла!

— Боже! С кем же ты играла?

— Была у меня компашка...

— Первый раз такое слышу! Вместо выпускного в шикарном платье из-за границы покер в компашке...

— Вообще-то я мечтала пойти в тот вечер в казино, но мне еще восемнадцати не было...

— А потом? Бывала в казино?

— Да, бывала. Но мне категорически не везло, и в рулетку, и в Блэк Джек. И мне стало не интересно. А вот в покер, наоборот, везло. Я хорошо играла... И считала, что мне поэтому не везет в любви. А когда Мишу встретила, боялась играть... Но он мне запрещает.

— Почему?

— Не знаю, но меня как-то и не тянет.

— А он в покер не играет?

— Нет, он в бридж играет, вернее, играл...

— А я когда-то играла в девятку, в кинга и очень любила. Но сейчас уже и не вспомню, как играть... Скажи, Мартинька, о какой рукописи Мишка говорил?

— О, это странная история...

И Марта рассказала Милице Артемьевне о рукописи Нонны Слепневой.

— Интересно... А что, в Интернете о ней ничего нет?

— Практически ничего!

— Странно, да?

— Мне тоже так кажется.

— А пишет, говоришь, неплохо?

— Я бы даже сказала хорошо по нынешним временам. Живо, интересно.

— Может, почитаешь мне, а?

— Вслух? — удивилась Марта.

— Ну да. Я ведь опытный редактор, а самой читать у меня что-то пока сил нет. И все-таки какое-никакое развлечение.

— Да с удовольствием! — обрадовалась Марта.

— Ты расскажи мне в двух словах, что там было раньше.

— Ну, там она пишет о детстве героя, о том, что его родной дядя был разведчиком и мальчишка увлекся романтикой этой профессии, хотя родители были против, но они погибли, и дядя взял мальчика на воспитание... А потом уже взрослый Барсуков переезжает из Голландии в Англию, и его зовут Герман Дакс.

— Дакс по-немецки барсук, — усмехнулась Милица Артемьевна. — Наивная придумка. А он по легенде немец или англичанин?

— По легенде он наполовину англичанин, наполовину немец.

— Тогда ладно.

Марта начала читать.

Милица Артемьевна внимательно и с удовольствием слушала, но вдруг перебила ее:

— Марта, ну что это? «Барсуков был в шоке!» Отвратительно! «Звезда в шоке!» Исправь!

— Нет, это ведь дело вкуса, а не ошибка.

— Ну, допустим. Ладно, читай дальше, интересно, черт побери!

— Вы не устали?

— Нет, это захватывает!

Когда Марта кончила читать, Милица Артемьевна спросила:

— Говоришь, Мишка с ней не знаком?

— Это не я говорю, а он. Думаю, не врет. Вам что, показалось, что она в него влюблена как кошка?

— Ну да! Впрочем, если она видела его по телевизору, читала о нем... И вдохновилась... Как все интересно, Мартинька! Только знаешь, мне та сцена, где Барсуков получает записку, показалась какой-то чепухой... Кто сейчас так делает, при этом вашем Интернете и соцсетях, как-то старомодно... Покажи это место Мишке.

— Обязательно!

— Да, хитромудрая бабенка... Влюбилась в мужика, к которому не так-то просто подступиться, и вздумала написать о его действительно непростой истории, притом роман, заморочила голову издателю, мол ей необходимо познакомиться с ее героем, что в общем-то естественно, а вдобавок развела таинственность, неясно кто она и откуда... Не верю я, что она живет и учительствует в Псковской области. Вот не верю и все! Она так разбирается в брендах... Что-то тут не так...

— Что? Что не так? — встревожилась вдруг Марта.

— Не знаю пока. Но чувствую — что-то нечисто. Говоришь, у нее издано два романа?

— Вроде да.

— Вот что... Когда придет Дарья, сгоняй в район на такси, может, купишь хоть один. Там есть маленькая книжная лавка, где торгуют всякой такой литературой для дачного чтения. Да, а в каком издательстве она печатается?

— Издательство «Космос». Его создали два человека — Костенко и Москалев.

— Фу, как примитивно! — скривилась Милица Артемьевна. — А у тебя там нет знакомых?

— Кажется, нет. А что?

— Ну, через знакомых легче узнать, что за птица эта Нонна.

— Надо спросить у Вики, может, она кого-то знает.

— Милая девушка твоя Вика. Как у нее с этим вашим Пыжиком?

— Он ей сделал предложение!

— Это хорошо. Он мне понравился, надежный какой-то... Но вернемся к нашим баранам. Позвони Вике и узнай.

— Прямо сейчас?

— А чего тянуть?

— Ну ладно, — засмеялась Марта и набрала номер подруги. Но у нее телефон был вне зоны доступа.

— А больше не у кого справиться?

— Разве что у Корнея.

— Так звони Корнею!

— Ну вы даете, больная!

— Я уже почти здорова! Звони Корнею!

Марта набрала Корнею, но тот как раз был в детской поликлинике со средним сыном и ему было совершенно не до Марты. Отпрыск громко и отчаянно рыдал.

— Извини, не могу сейчас говорить! — простонал Корней и отключился.

— Вот досада! — посетовала Милица Артемьевна.

— Господи, Миля, что вас так разбирает? — засмеялась Марта.

— Потому что не нравится мне эта история.

— Думаете, она охотится на Мишу?

— Именно! Мужики же они такие... Ими нужно восхищаться, хвалить, петь дифирамбы.

— А я им восхищаюсь!

— Но дифирамбов не поешь, романов не пишешь...

— Думаете, он такой примитивный?

— Нет, он, конечно, кремень и все такое, но при этом на сто процентов мужик, значит, не чужд общемужских слабостей.

— Миля, зачем вы меня пугаете?

— Да я сама испугана. Но, впрочем, может, она дурнушка, уродина и просто прячется от людей. И, скорее всего, Нонна Слепнева это псевдоним. Если она и вправду учительница, то... Да ну, тут сам черт ногу сломит. Пусть наш достославный разведчик сам разбирается. Ему и карты в руки.

— Да он, по-моему, не больно-то всем этим интересуется.

— Ну дай-то Бог!

Марта была права. Бобров очень мало интересовался этим романом о себе. Он был занят куда более интересными для себя делами. Три раза в неделю рано утром он ездил в спортзал, час занимался на тренажерах, принимал душ и мчался по делам. Эти занятия помогали ему держать себя в форме. Но при всем том он не забывал дважды в день звонить жене и справляться о здоровье тетки. Слава богу, она быстро шла на поправку. Каждый день ездить на дачу никак не получалось, и, приходя домой в пустую квартиру, он ощущал сосущую тоску. Как же я привык к Марте, как я люблю ее. И Миля вот тоже ее полюбила, и это прекрасно.

Но вскоре уже Марта вернулась домой. Милица Артемьевна сама выпроводила ее.

— Все, хватит, я здорова, езжай к мужу, нечего тут старуху обихаживать. Мужу ты сейчас нужнее.

Все казалось бы устаканилось. Но... как известно, покой нам только снится!

Ну и ну!

Бобров уже крутил педали велотренажера. Это был последний этап занятий, так называемая заминка. Вдруг перед ним встала какая-то женщина.

— Здравствуй, Миша!

Боброва затошнило.

— Ты что тут делаешь? — неприязненно спросил он, продолжая машинально крутить педали.

— Вот пришла на занятия...

— Хочешь сказать, это случайность?

— Не смеши меня.

— Ага! И зачем я тебе вдруг понадобился? Кстати, не знал, что ты в Москве.

— Уже полтора года.

— И что тебе надо?

— Пока только поговорить.

— О чем нам говорить?

— Есть о чем. Не здесь же объяснять. Переоденься и зайдем в какое-нибудь кафе.

— Нереально. У меня весь день расписан.

— Знаю, ты теперь телестар! Кстати, недурно смотришься на экране. Я вообще много о тебе знаю. Даже как зовут твою жену. Марта Сокольская. Я всегда думала, что ты женишься именно на такой хрупкой, беззащитной бабенке, которая будет смотреть тебе в рот и с придыханием внимать твоим рассказам о подвигах разведчика. Ха!

— Так зачем все-таки я тебе понадобился?

— А тебе совсем неинтересно, что со мной было, когда мы расстались?

— Меня байки о прошлых подвигах разведчицы совершенно не интересуют. Мы расстались, так было нужно, и я никогда об этом не пожалел. Все.

Бобров выключил тренажер и быстро вышел из зала. Только этого еще не хватало! Эта женщина была когда-то его женой. Их совместная жизнь не задалась, и руководством было принято решение перебросить Надежду в другую страну, сменить легенду и все прочее. Для этого была инсценирована ее смерть под колесами автомобиля, якобы случившаяся не в Лондоне, где они жили, а в Манчестере, где на местном кладбище появилась ее могила. Манчестер считался ее родиной. Куда ее направили, Бобров не знал. Даже у следствия по его делу в Англии не возникло никаких сомнений, тем более что с «момента гибели» минуло около четырех лет. Бобров был безмерно благодарен своему куратору Матвееву, который считал, что взаимная неприязнь супругов-разведчиков чревата непредсказуемыми последствиями.

Бобров уже и думать о ней давно забыл, у него теперь совершенно другая жизнь. Что ей понадобилось от меня? Может, просто минутный каприз? У нас нет и не может быть никаких общих дел. Он спустился в раздевалку, быстро принял душ, оделся, взбежал по лестнице, натянул куртку и вышел на крыльцо. Огляделся. Нади не было видно. Слава богу, подумал он. Быстро сел в машину и уехал. Но настроение было безнадежно испорчено. Бывшая жена изменилась, стала брюнеткой, сильно похудела и здорово постарела. И все-таки, зачем она появилась? Зачем выследила меня? Что-то ей явно нужно, только зачем эти игры? Могла бы просто позвонить мне или связаться со мной в соцсетях. Хотя она всегда была любительницей игр, потому и пошла в разведчицы, а разведка это, конечно, отчасти игра, но только очень серьезная игра, где на кону человеческие судьбы и жизни. В этом она со мной не соглашалась. И однажды чуть не спалила нас, заигравшись в свою индивидуальную игру. Матвеев об этом не узнал, иначе не видать бы ей подобной работы как своих ушей.

Это был мой грех, моя слабость. Она так горько раскаивалась, так клялась, что никогда больше... Как я мог тогда поверить ей? Впрочем, насколько я знаю, она не провалилась и никого не провалила и, однако, почему-то вернулась в Москву. Ладно, чего я завелся? Делать мне что ли нечего? Но она явно опять ведет какую-то свою игру, и это связано со мной. Хотелось бы все-таки знать... Сейчас она исчезнет на какое-то время, чтобы я ломал себе голову. Ну ничего, если еще раз появится, я уж сумею добиться от нее правды. Неужели придется сменить спортзал, если она станет туда тоже таскаться? Не хотелось бы, я привык...

Марта с Корнеем отправились на очередной корпоратив по случаю десятилетия крупной консалтинговой фирмы.

— Мартуся, ты чудесно выглядишь! Ой, а каблучищи-то какие, жуть просто! Что-то раньше не замечал, чтобы ты такие носила.

— Раньше мы на радио работали, а сейчас нас народ видит! А каблуки — это красиво!

— Красиво, да, но страшно... Вдруг сверзишься?

— А ты на что? Должен подхватить в случае чего! — рассмеялась Марта.

— Ладно, в случае чего подхвачу.

Когда, объявив очередного гостя, они ушли за кулисы, к Марте подошла исключительно красивая женщина.

— Мартышка, это ты?

Марта удивленно на нее взглянула.

— Не узнаешь?

— Гулька? Гулька, это ты? — восторженно воскликнула Марта.

— Я, Мартышка, я!

Женщины обнялись.

— Господи, Гулька, как я рада, выглядишь потрясающе! Какими судьбами?

— А я совладелица этой фирмы, только я никак не думала, что Марта и Корней это ты! Как же я рада! Слушай, дай мне телефон, созвонимся, встретимся, поболтаем как в школе на уроках! Сейчас не получится, меня на части рвут! Вот тебе моя визитка!

— А у меня визитки нет... Запиши мой телефон. И звони, я все же не так занята, буду страшно рада с тобой потрепаться...

Они расцеловались и Гуля ушла.

— Красивая какая! — восхищенно произнес Корней. — Но, похоже, стерва, я стерв за версту чую.

— А теперь говорят, что стерва это хорошо.

— Смотря для чего. Для совладения крупной фирмой хорошо, даже необходимо, а для жизни... Нет, увольте!

— А я не стерва?

— Ты? — рассмеялся Корней. — В тебе даже маленькой стервинки нету, Мартуся. Ты вообще, может быть, самое милое существо на свете.

— Спасибо, друг! Хотя иногда мне хочется быть стервой.

— Что, шпион обижает мою Мартусю?

— Нет, что ты... Ох, Корнюш, скажи, у тебя случайно нет знакомых в издательстве «Космос»?

— А разве есть такое издательство? Нет, увы, а тебе зачем?

— Да это не мне. Ну, на нет и суда нет.

Под конец вечера Марте вручили роскошный букет нежно-розовых роз с запиской от Гули: «Мартышка, ты молодец! Непременно позвоню!»

Дневник

Я поставила Гулькины розы и долго любовалась ими. Когда я вернулась домой, Миши еще не было. Как я по нему скучаю. Но ждать его не стала, легла спать. Под утро проснулась, он

спит рядом. И лицо такое усталое... А утром
за завтраком он вдруг спросил как-то сурово:

— Откуда розы?

— Подарили.

— Кто?

— Гуля.

— Что еще за Гуля?

— Моя школьная подружка. Она еще была
до смерти влюблена в Петьку.

— Откуда она взялась, эта Гуля?

Кажется, он мне не поверил... Решил, что
подарил какой-то мужик. Ну и пусть! Не все
же мне мучиться ревностью неизвестно к
кому...

Больше он ни о чем расспрашивать не стал.
И слава богу!

Гуля позвонила через два дня.

— Привет, подруга!

— Привет, Гулька!

— Слушай, ты сегодня вечером свободна?

— Да.

— Тогда приглашаю тебя поужинать в одном
шикарном месте, вдвоем! Расскажешь мне про себя
и... про брата.

— Гулька, первая любовь не ржавеет?

— Казалось, безнадежно заржавела, а вот как тебя увидала, все встрепенулось... Я смотрела, ты в соцсетях не светишься. Правильно, между прочим. Ну так как? Поужинаем?

— Да!

— Тогда я заеду за тобой в половине восьмого. Скинь мне адрес эсэмэской.

— Хорошо.

Марта обрадовалась. Пусть Мишка вернется в пустую квартиру. Ужин я ему, конечно, оставлю. И записку тоже. А то он рассердится. «Миша, меня пригласили в гости. Не волнуйся. Ужин на плите. Вернусь поздно. Целую. М.».

Заноза в сердце

Гуля приехала на шикарной белой машине с водителем. Женщины обнялись.

— Ох, Мартышка, какая ты стала... Смотрю, ты замужем. Который по счету муж-то?

— Третий!

— Менять не собираешься?

— Нет пока! — задорно засмеялась Марта. — А ты, Гулька, значит, бизнесвумен?

— Ага! Именно.

— А ты замужем?

— Нет! Принципиально! Мне хомут шею натирает. Так что я в свободном полете!

Они приехали в дорогой модный ресторан, где их встретили очень почтительно, Гулю тут знали.

— Надо выпить за встречу! Шампанское будешь?

— Вообще-то мне шампанского нельзя, но я с удовольствием! — засмеялась Марта.

— Почему нельзя?

— Ох, Гулька, неохота говорить о болячках, но столько нельзя... Нельзя водить машину, даже ребенка родить пока нельзя...

— Ох ты господи! Ладно, а что тебе можно? Водку, коньяк, текилу можно?

— Это понемножку можно.

— Тогда давай текилу! Я вовсе не хочу тебе навредить! А лобстера тебе можно?

— Лобстера можно!

— Тогда я все сама закажу?

— Давай, Гулька, командуй!

Гуля заказала изысканный ужин.

— Ну, Мартышка, за нас!

— За нас!

— А теперь рассказывай, кто твой муж? Как его зовут?

— Михаил Андреевич Бобров. Он... политолог, преподает в МГИМО... Консультант в МИДе...

— Вас Петя познакомил?

— Ох нет, Петя сделал все, чтобы мы не познакомились, — засмеялась Марта.

— Это как?

— Миша учился с Петькой в институте, и Петька, узнав, кто мой... мужчина, просто на стенку полез... дурной... И даже когда мы уже поженились, как-то прислал мне подарок с одним грузином такой невероятной красоты, что только обалдеть...

— Но ты устояла? — фыркнула Гуля.

— Конечно!

— А что вообще-то твой брат? Он по-прежнему в Нью-Йорке? И все с той же женой?

— Да. Все у него по-прежнему. Правда, эта работа все нервы ему вымотала. Там сейчас так тяжело работать...

— Хотелось бы его повидать. Господи, как же я была в него влюблена! А он на меня ноль внимания. Знаешь, у меня много мужиков было, но...

— Что? Светлый образ Петечки Сокольского всегда стоял у тебя перед глазами?

— Именно! — рассмеялась Гуля. — Слушай, а у тебя нет фотки твоего мужа?

— Есть. Вот!

— Интересный... Значительный какой-то... Умный небось?

— Жутко умный.

— Не зануда?

— О нет! А хочешь посмотреть, какой Петька теперь?

— Думаешь, я не знаю? Отслеживаю в Интернете. И по телеку иногда вижу. Постарел, конечно, но по-моему стал еще лучше...

— Гулька!

— Что Гулька! Даже у самой прожженной деловой бабы свободных нравов в душе живет... чей-то светлый образ... как ты изволила выразиться. А в твоей душе есть светлый образ?

— Есть. Мишин.

— Вот давай и выпьем за светлый образ...

— Давай!

Они выпили.

Гуля вдруг пристально посмотрела на Марту.

— Чего ты так на меня смотришь?

— А ты мне что-то о своем «светлом образе» не договариваешь. Что с ним не так? Он что, в прошлом какой-то провалившийся разведчик?

Марта вспыхнула.

— Он не провалился, его предали! — запальчиво проговорила она.

— Ага! Значит, я права. Он бывший шпион?

— Да! И что?

— Мартышка, не лезь в бутылку! Это здорово романтично... Я тебя понимаю.

— Но как ты догадалась?

— Кое-что сопоставила.

— Что ты сопоставила?

— То, что Петечка с ним учился, а потом не пожелал, чтобы ты за него вышла. Да и ты, говоря о муже, как-то явно напрягалась, чтобы не сказать лишнее. Я, между прочим, училась психологии... В бизнесе это необходимо, особенно если ты женщина. Тем более в России. А как ты с ним познакомилась, если не через Петьку?

— О! Это такая история...

— Расскажи!

— Ладно, слушай! Я заехала в супермаркет с подземной стоянкой. Все купила, села в машину и вдруг мне стало плохо, я потеряла сознание... А Миша это увидел, подошел, дал мне понюхать нашатырь, сел за руль и отвез домой. Поставил машину на стоянку, довел меня до подъезда и ушел.

— Но телефончик взял?

— Нет! Не назвался и меня ни о чем не спросил, просто ушел. А я, как выяснилось на другой день, потеряла свои любимые часы, Шоппард, Петькин подарок. Потом приехал Петька, попросил мою машину, и вдруг является ко мне и приносит потерянные часы.

— Ничего себе. И как?

— Понимаешь, у меня на машине была аэрография, мартышка, и тот человек, он нашел на стоянке эти часы, по мартышке опознал мою машину и написал записку. «Я нашел ваши часы. Мой телефон такой-то». Записку обнаружил Петька, позвонил. Они встретились и узнали друг друга. Когда я спросила у Петьки телефон того человека, чтобы поблагодарить его за все, Петька сказал, что выбросил записку. Вот как-то так...

— Но как же вы встретились?

— На радио.

И Марта рассказала старой подруге о своем романе с Бобровым.

— Ну надо же, как все интересно...

— Гулька, а у тебя есть кто-то?

— Кто-то есть, но это не стоит разговора. Так, что называется, для здоровья. А вот скажи мне, что за жена у твоего брата?

— Гулька!

— Да я просто из любопытства. Что тебе, жалко?

— Да нет, не жалко. Хорошая у него жена, умная, красивая, надежная. Мы с ней дружим.

— Все. Поняла. А он-то, Петечка, верный муж, а?

— Думаю, да. При его работе...

— Ох, работа в этом деле не помеха, если охота есть. Ладно, все. Хватит о твоем брате. Это больная тема.

— Обалдеть! — удивленно проговорила Марта. — Я думала, ты прикалываешься, а ты...

— Заноза в сердце твой брат. И никак эту занозу не вытащить...

— Как ты хорошо сказала... Заноза в сердце...

— Неужели твой доблестный шпион тоже заноза, несмотря на то что он твой муж?

— Нет. Дело в другом. Он мне недавно принес рукопись одной книги... книга о нем...

— Ни хрена себе! Что за книга?

— Роман.

И Марта, уже изрядно захмелевшая, поведала подруге о Нонне Слепневой и всей этой истории, которая и в самом деле стала занозой в сердце.

— И ты ревнуешь?

— Да вроде нет. Но мне отчего-то неспокойно. Интуиция, может быть...

— А что, твой шпион, ох, прости, доблестный разведчик не в состоянии выяснить, что за птица эта Нонна?

— А он... ему это вроде как неинтересно. Или он знает и там все не так... А мне не говорит... жалеет...

— А хочешь, я выясню?

— Как?

— Неважно, придумаю что-нибудь. В жизни не поверю, что это какая-то гостайна! Как, говоришь, издательство называется?

— «Космос».

— Ага, «Космос», Нонна Слепнева. И у нее уже вышло там два романа?

— Да.

— Ты читала?

— Один читала. Интересный, и написан неплохо.

— Не дрейфь, подруга. Выясню я тебе все, даже не сомневайся. У меня на фирме в отделе безопасности тоже один бывший агент трудится. До такого умеет докопаться, я только диву даюсь. Так что жди!

— А... А может, не надо?

— Но тебя же это мучает! Поверь, неизвестность куда хуже ясности.

— Ты права. Ладно, выясняй!

— Только мужу про это ни слова пока.

— Конечно. Он бы не понял... — грустно проговорила Марта.

Они еще долго болтали о всякой всячине, как вдруг позвонил Бобров.

— Алло! Маленькая, ты где?

— Я же тебе оставила записку.

— Ты что, пьяная? И что ты пила?

— Не волнуйся, текилу.

— Когда тебя ждать? Или приехать за тобой?

— Как хочешь.

— Тогда я приеду. Говори адрес!

— Не стоит, ты устал, а меня привезут...

— Нет, я уж лучше приеду.

— Как хочешь. Гуля, какой тут адрес?

Гуля сказала адрес.

— Хоть погляжу на твоего доблестного разведчика, — засмеялась Гуля. — Хотя я бы лично навела тень на плетень, пусть мучается, с кем ты была...

— Нет, не хочу, чтобы он мучился, он и так в жизни намучился.

И Марта заплакала.

— Ох, ты все такая же плакса, как в юности! Надо же!

— Да, я легко плачу, — утирая слезы салфеткой, сказала Марта. И смущенно улыбнулась.

А вскоре появился Бобров.

— Вот и твой супруг нарисовался, — первой приметила его Гуля и помахала ему рукой, сюда, мол...

Он подошел.

— Добрый вечер, дамы.

— Здрасте, Михаил Андреевич, я Гуля, школьная подружка вашей жены, будем знакомы!

— Очень приятно.

— Да вы присядьте, Михаил Андреевич!

— Благодарю вас, но нам пора. Может быть, я подвезу и вас? И я хотел бы оплатить счет...

— Это мило с вашей стороны, но счет уже оплачен. А меня ждет водитель.

— Ну что ж, Гуля, приходите к нам в гости, моя жена чудесно готовит, а сейчас нам пора. Марта совсем пьяненькая уже. Пойдем, пойдем!

Он поднял Марту со стула, обнял за плечи и повел к выходу.

«Да, — подумала Гуля, — клевый мужик, но... Петя Сокольский все же лучше!»

— Ты приехал, чтобы убедиться, что я вдвоем с подругой, а не с мужиком? — уже в машине спросила Марта.

— Нет, я приехал, потому что не люблю, когда тебя долго нет. Я же волнуюсь... А вообще это не дело напиваться в кабаке.

— Так! Приехали!

Бобров пропустил ее восклицание мимо ушей.

— Откуда вдруг взялась эта Гуля?

— Не все ли равно!

— Нет, не все равно.

— Последний наш корпоратив был у нее на фирме. Она, узнав меня, пришла за кулисы... А я обрадовалась.

— Она замужем?

— Какое это имеет значение?

— Ага, значит, не замужем.

— И что?

— Ничего. Просто спросил.

— Будешь собирать на нее досье?

— Непременно. Мне больше заняться нечем.

— Да, ты теперь всегда занят. Мы даже ни разу на каток не выбрались.

— Действительно! А давай в воскресенье покатаемся?

— Да я-то с восторгом, но ты обязательно кому-то в воскресенье понадобишься. Без тебя российская дипломатия уж никак не обойдется. Или разведка, или просто телевидение и радио. — Марта заплакала.

А Бобров засмеялся. Он привык уже к близким слезам жены.

— Дурочка, радоваться надо, что твой муж так востребован. Обещаю, что когда выйду на пенсию, ни на шаг от тебя не отойду!

— А я думаю до тех пор я сумею утешиться как-то иначе, — вскипела вдруг Марта. — Знаешь, я хоть и плачу часто, но быть жертвой это не мое!

— Вот новые новости. Это что же, другого себе заведешь?

— Может, и заведу, там видно будет.

— Ишь как спьяну-то заговорила, — опять засмеялся Бобров. — Смотри у меня! Ты знаешь, я мужик крутой, если что, никому мало не покажется. Ну, вот, приехали.

Он поставил машину на стоянку и, прежде чем вылезти, привлек к себе жену и крепко поцеловал. Она доверчиво прильнула к нему и всхлипнула.

— Ты же умная девочка, а как подопьешь, дура дурой! Ладно, идем домой.

Бобров пил кофе в мидовском буфете, когда раздался телефонный звонок, номер был незнакомый.

— Алло!

— Миша!

Он узнал голос бывшей жены, и сразу накатила волна раздражения. Чего ей надо?

— Да. Я слушаю, — сухо проговорил он.

— Надо поговорить.

— О чем?

— Есть о чем. И это очень важно.

— Для кого важно?

— Для нас обоих.

— Ну, допустим. Только сегодня я не смогу, у меня весь день расписан по минутам.

— Хорошо, давай завтра, хотя нет, завтра я не могу. Давай в воскресенье днем. Например, в двенадцать в Венском кафе на Рижской.

— Нет, там слишком людно.

— Боишься жену?

— Я никого не боюсь, но просто не люблю таких людных мест.

— Тогда предлагай сам.

Он лукавил. Просто Венское кафе очень любила Марта. Она всегда заказывала там американо со сливками и пирожки с капустой. Его это забавляло и даже умиляло. Они частенько заходили в это кафе, когда ездили вдвоем на Рижский рынок за продуктами. И не хотелось осквернять это милое место неприятной встречей с бывшей женой. В том, что встреча будет неприятной, он не сомневался.

И предложил встретиться в маленьком кафе — в одном из Арбатских переулков на задах Министерства иностранных дел.

— Ладно, согласна, — хмыкнула Надежда и отключилась.

Ох, черт, я же обещал Марте поехать в воскресенье на каток. Ну, я надеюсь, много времени разговор с Надеждой не займет.

В воскресенье за завтраком он сказал жене:

— Маленькая, я не забыл про каток, но у меня в двенадцать одна важная и неприятная встреча.

— Где?

— В МИДе. Надеюсь, я быстро управлюсь и мы поедем на каток, а потом завалимся в хороший ресторан и будем есть борщ, как тогда, в первый раз... Идет?

— Идет! — просияла Марта.

Он помнит, он, кажется, все-таки действительно любит меня.

— Не сердись, я постараюсь побыстрее вернуться.

Без двух минут двенадцать Бобров вошел в кафе. Надежды не было. Он ждал двадцать минут. Она не появилась и не позвонила. Он набрал ее номер. Телефон был заблокирован. Он прождал еще двадцать минут, кипя от злости. Она так и не появилась. Хватит с меня! Уверен, она это нарочно... чтобы разозлить меня, испортить воскресенье. Или она просто сумасшедшая? Судя по ее поведению — скорее всего. Бобров сел в машину и позвонил Матвееву. Это был его куратор в свое время, человек немало сделавший для его обмена и очень помогавший по возвращении. К тому же именно Матвеев нашел для Марты доктора Алексахина, когда она тяжело заболела. А доктор оказался школьным другом Боброва Санькой Пыжиком.

— Алло! Миша? Что-то случилось?

Матвеев уже три года как был на пенсии.

— Владимир Васильевич, простите, что звоню в выходной...

— Какие у меня теперь выходные? Смеешься?

— Владимир Васильевич, очень надо поговорить.

— Приезжай прямо сейчас.

— Вот спасибо! Буду через десять минут!

Матвеев жил на Кутузовском проспекте. Благо в воскресенье в первой половине дня машин было совсем мало.

Открыла ему жена Матвеева, Валерия Константиновна.

— О, Миша, рада вас видеть, чудесно выглядите.

— Мишка! — вышел в прихожую Матвеев. — Снимай пальто и заходи.

Они обнялись.

— Секретничать будете? Кофе подавать? — осведомилась Валерия Константиновна.

— Нет, благодарю, я только что пил... — улыбнулся Бобров.

— Ладно, секретничайте!

Они вошли в кабинет Матвеева.

— Ну, выкладывай!

— Владимир Васильевич, объявилась Надежда. Что произошло?

— Ее вернули. Она не в состоянии работать. Я не говорил тебе... Там, куда ее направили, она поначалу хорошо справлялась, потом с нашего согласия вышла замуж за нашего человека и, казалось, вместе у них все ладилось, к тому же она его, кажется, действительно любила. У них родился ребенок, а потом ее мужа убили, чудовищно, зверски. Ее психика не выдержала... Пришлось вернуть ее с ребенком сюда. Здесь у нее есть мать и сестра. Ее лечили и вроде бы вылечили. Вот вкратце ее история. Чего она хочет от тебя?

— Непонятно! Я так и подумал, что она сошла с ума. То она вдруг возникла в фитнес-клубе, где я бываю, то позвонила и потребовала встречи. Я пришел, а она не явилась и не позвонила. Тогда я решил позвонить вам...

— Правильно сделал! Это ведь моя ошибка. Насколько безупречно работал ты, настолько не справлялась она... Хотя потом, с новым мужем, работала иной раз просто здорово, но теперь...

— Она же может быть опасна?

— Нет. Она не помнит никакой оперативной информации... Состоит на учете в психдиспансере, кто ей поверит... И потом с ней поработали...

— Заблокировали?

— Частично. Она не опасна. Но ты все же держись от нее подальше. Нервы истрепать может.

— Понял. Спасибо.

— Ну, а как ты живешь? Как здоровье жены?

— Ох, Владимир Васильевич, благодаря вам... Алексахин такой чудесный доктор! Больше у нее обмороков не было.

— А чего детишек не заводите?

— Алексахин пока запрещает.

— Ничего, успеете еще. А ты молодчина! Я тебя по телевизору смотрю. Удивительно, как тебя всегда внимательно слушают, даже Жириновский при тебе не орет...

— Да, я заметил. Знаете, мне все это интересно...

— Значит, нет худа без добра.

— Вы о чем, Владимир Васильевич?

— О том, что с тобой случилось в Англии. Кстати, в Лондон не тянет?

— О нет! Мне сейчас в Москве интересно, и потом жена... Мне страшно повезло!

— Искренне рад за тебя. Ты мой лучший ученик, я горжусь тобой, Мишка! А как твоя тетушка?

— Жива! Хворала тут недавно, но быстро поправилась, утверждает, что ее вылечила улыбка моей жены.

— Ну надо же! Передавай привет обеим! Да, если Надежда будет очень доставать, скажи мне.

— Да я сам справлюсь. Спасибо! Пойду. Обещал жене покататься сегодня на коньках.

— О, хорошее дело! Я когда-то тоже любил, а теперь здоровье уже не позволяет, ноги болят... Ладно, иди, чего стариковские жалобы слушать, ваше дело молодое.

Они долго катались, потом ели огненный борщ в том же ресторане, что и в прошлом голу, Марта сияла.

Неожиданная информация

Позвонила Гуля.

— Мартышка, привет! Слушай, я все узнала.

— И что?

— Не хочу по телефону! Давай я пришлю за тобой водителя. Я ногу подвернула, ни в одни туфли не влезаю. Сижу дома. Приезжай, Мартышка!

— Гуль, скажи, это что-то... плохое? — с замиранием сердца спросила Марта.

— Не знаю, как посмотреть... Но информации куча! Так прислать машину?

— Давай! — решилась Марта. Ей почему-то было ужасно страшно.

Гуля жила в высотке на Котельнической набережной, в большой, отделанной с иголочки, квартире на четырнадцатом этаже.

На звонок открыла пожилая, очень уютного вида женщина.

— Вы Марта, да?

— Да!

— А я Мария Моисеевна, родственница Гулечки. Проходите, пожалуйста!

— Очень приятно! Спасибо! — пробормотала Марта. — Вы из Одессы?

— Из Одессы, по говору слышно, да?

— Да! Обожаю одесский говор...

— Вы бывали в Одессе?

— Была, в ранней юности.

— Тетя Маша, это Марта пришла? — донесся откуда-то голос Гули.

— Ну, деточка, идите к Гуленьке, она совсем не может на ногу наступить. Высокие каблуки до добра не доводят, но разве она когда послушает!

Гуля сидела на диване, положив ногу, замотанную бинтом, на пуфик.

— Мартышка! Как я рада! Садись вот сюда! Сейчас тетя Маша нас покормит! Она так готовит, это просто жуть! Какие диеты, какие калории, сплошной праздник желудка! Когда я на работе, питаюсь, как птичка, а дома... кошмар!

— Гулька, хватит болтать! Говори, что там выяснилось?

— Ты слышала когда-нибудь такое имя — Алла Силантьева?

— Алла Силантьева? Что-то знакомое... Постой... Это журналистка. Она в прошлом году брала у Миши большое интервью. Так это она Нонна Слепнева?

— Она!

— Ничего себе...

— И если на эту Нонну почти ничего в Сети нет, то Алла Силантьева представлена там во всей красе!

— И что?

— Начнем с того, что она очень красивая, ну просто очень! И она-таки знакома с твоим доблестным разведчиком, сама понимаешь, и, видимо, влюблена в него, вот и решила действовать...

— Господи, неужели Миша знает?

— Ну, вполне может пока не знать. А вот как отреагирует, когда узнает... Кстати, может просто разозлиться.

— Да ну... Он нормальный живой мужик, ценит красивых женщин... И вполне может клюнуть на такие литературные восторги... А может, уже клюнул... Знаешь, я как чувствовала... Мне было так страшно, когда ты позвонила... Но ты права, ясность лучше неизвестности. Слушай, а она... замужем, у нее дети?

— Она в разводе уже давно, детей нет. Она считается блестящей журналисткой, а свою литературную деятельность тщательно скрывает.

— Интересно, почему?

— Ну, тут может быть много причин. Например, стесняется своих романов. В кругу этих журналистов, вероятно, свысока относятся к дамам-писательницам... или родители не одобряют жанр дамского романа. Да мало ли... А может, это издатели потребовали. Они иной раз любят придумать какую-то литературную мистификацию. Ой, Мартышка, ты что это, совсем сдулась? Куда это годится? Да, может, Миша твой ни сном ни духом...

— Ну, пока, возможно, и так. Но когда узнает, ему может понравиться такая авантюра. Ему польстит такой, можно сказать, подвиг любви...

— Слушай, а может, никакой любви и нету, может, просто ее вдохновила его история, она же и до него романы писала, и тоже под псевдонимом.

— Нет, пойми, Гулька, она же с ним знакома, общалась с ним.

— И что? По-твоему все бабы должны в него влюбляться до поросячьего визга?

— По-моему да, — смущенно улыбнулась Марта.

— Но женился он почему-то на тебе.

— Понимаешь... У него невероятное чутье... Он почуял, что я именно та женщина, которая была нужна ему в тот момент. Он говорил, что я его вылечила. Ему до меня вечно снились кошмары, накатывала тоска, а теперь все это прошло. И я сама оказалась не слишком здоровой... Он волнуется за меня... или, по крайней мере, делает вид, что волнуется. Я не думаю, что он меня бросит ради этой Аллы... Скорее всего нет, но он вполне может закрутить с ней... Да запросто!

— Да, такое не исключено, — задумчиво проговорила Гуля. — И что ты намерена делать с моей информацией?

— Не знаю. Может, скажу ему и посмотрю на его реакцию.

— Нет, не стоит, молчи пока! Посмотришь, как будут развиваться события.

— Думаешь?

— Думаю! Даже уверена. Главное, ты предупреждена, а значит...

— Вооружена? — закончила фразу Марта.

— Что-то в этом роде.

— Может, ты и права, только вряд ли у меня получится. Он заметит.

— А ты постарайся, чтобы не заметил.

— Ты даже вообразить себе не можешь, какая у него интуиция!

— Девочки! — донесся из коридора голос тети Маши. — Вам пора подкрепиться!

Она вошла, толкая перед собой сервировочный столик, уставленный множеством тарелок и мисочек.

— Вы тут разговаривайте и клюйте между разговорами! Подсластите пилюльку, ежели она горькая, подперчите и посолите, ежели пресная, одним словом, стряпня тети Маши улучшит вам настроение, это я вам гарантирую!

И с этими словами пожилая женщина удалилась, плотно прикрыв за собой дверь.

— Какая милая, — заметила Марта.

— Она чудесная. Я забрала ее из Одессы, у нее сын... уехал в Америку и там сгинул. Никто не знает, где он и что с ним. Она совсем одна осталась, вот я и привезла ее сюда. Кажется, она немножко оттаяла.

Мария Моисеевна и впрямь готовила фантастически! Марта, несмотря на малоприятную новость, ела с отменным аппетитом, а потом побежала на кухню к Марии Моисеевне записывать рецепты.

— Кого кормить собираетесь, Марточка?

— Мужа!

— Таки это правильно, мужа надо хорошо кормить. Никуда тогда не денется, а вот на сыновей это как-то не влияет. А если влияет, кому такой будет нужен — маменькин сынок называется, горе любой жены...

Молчание — золото

Марта вернулась домой с боевым настроем — не отдам Мишу, буду бороться! Хотя пока бороться было не с кем. Говорить мужу о том, что она узнала, или не говорить? И, как уже повелось у них в семье, решила пока молчать. Известно же, слово серебро, а молчание — золото!

Она стала внимательнее приглядываться к мужу. Нет, ничего подозрительного. Наверное, еще не знает...

Как-то Бобров вернулся домой и с порога сообщил:

— Маленькая, я сегодня узнал, твой брат скоро возвращается в Москву!

— Насовсем? — воскликнула Марта.

— Да!

— Что-то случилось?

— Насколько я понял, у него нелады со здоровьем, было что-то вроде микроинфаркта. Обстановка там сейчас не приведи господи. И его переводят в Москву. В МИД.

— А Ирка как же?

— Ну и она с ним, скорее всего. Ты рада?

— Чему я должна радоваться? Его микроинфаркту? — заплакала Марта.

— Нет, конечно, тому, что он будет в Москве. Ты же его любишь, и Ирину тоже...

— Зато ты его не любишь!

— Оставь свои инсинуации! Я вполне лояльно отношусь к твоему брату. Это он подсылает к тебе каких-то невероятных красавцев... — хмыкнул Бобров, а про себя подумал: дурак набитый!

А вскоре Марте позвонила Ирина:

— Мартышка, мы скоро возвращаемся. Я до смерти рада! Так устала тут...

— А что там у Петьки с сердцем?

— Не очень хорошо. Но у него будет отпуск, поедет в санаторий на реабилитацию...

— Он очень огорчен?

— Да он тоже рад до смерти! Устал тут как собака. А как твой Миша? Все хорошо?

— Все замечательно! Ой, Ирка, как же я рада, что вы будете теперь в Москве! Когда вас ждать?

— Через две недели! Я созвонилась с мамой, она приведет квартиру в жилой вид. Все мысли уже в Москве! Тебе ничего отсюда не нужно?

— Абсолютно!

Как хорошо, что они вернутся! И вот Гуля возникла... Потому что с Викой, как ни странно, они волей-неволей отдалились. Вика целиком и полностью вгрузилась в дела доктора Алексахина и со страстью вила гнездо. Марта прекрасно ее понимала, но факт остается фактом. Они уже не созванивались по несколько раз в день, а в лучшем случае раза два в неделю. Изредка у Марты мелькала мысль: когда я встретила Мишу, в наших отношениях с Викой ничего не поменялось, а вот она... Но тут же она одергивала себя: когда я встретила Мишу, мы с Викой работали бок о бок, а теперь...

Дневник

Я решила молчать! Иной раз мне смертельно хочется залезть к Мише в телефон, но я тут же вспоминаю зарок, который дала себе в самом начале наших отношений, и потом, неужели он с его опытом не удалит любой пустячок, который может его выдать? Смешно даже думать! Хотела рассказать все Миле, но по-

том подумала: зачем ее тревожить? Она ко мне привязалась, будет из-за меня волноваться, а в ее возрасте это ни к чему. И Вике ничего не сказала, она может трепануть Пыжику, а тот Мишке... Нельзя! И вообще — никому ни слова! У Гульки прошла нога, и она умотала в Токио по делам фирмы. Может, зря я втравила ее в эту историю? Жила бы себе спокойно... Но беда в том, что я не могла жить спокойно. Пожалуй, сейчас мне даже чуточку спокойнее. Нет, если твой муж шпион, надо взять себе девиз: «Молчи в тряпочку!»

Надежда больше не появлялась. Бобров успокоился. Вероятно, Матвеев на нее повлиял. А впрочем, не хочу я о ней думать!

Но буквально на следующий день она ему позвонила. Он сбросил звонок. Она продолжала настаивать. Он счел за благо ответить.

— Алло! Что тебе нужно? Твои фокусы со мной не пройдут, заруби себе это на носу!

— Фу, какой ты грубый! Ладно, мы пойдем другим путем!

— Послушай, мне это надоело! Говори, что тебе нужно. Хватит уже измываться, а то я решу, что тебе пора к психиатру. Впрочем, это и так понятно.

— Да пошел ты!

И она отключилась.

Бобров в крайнем раздражении пожал плечами и тихонько выматерился.

Марте позвонила мать Ирины, Татьяна Филипповна, постоянно живущая в Орле, а сейчас приехавшая в Москву.

— Марта, милая, вы не могли бы мне помочь, а то я тут не умею... Я все убрала, вроде бы наладила, воду вот включила, а на кухне подтекает, позвонила в диспетчерскую, а там говорят: «Ваш дом у нас не обслуживается». Спрашиваю куда обратиться, а они говорят: «Не знаем!» И что делать? И еще вопросы накопились, для меня ваша Москва как джунгли...

— Хорошо, Татьяна Филипповна, я сейчас же приеду и разберусь. Вы только не волнуйтесь!

— Ох, спасибо, Марточка. Уж сколько раз Ирка звала меня в Москву, но я не могу тут жить. Не привыкла, а привыкать я уж стара.

— Я еду!

Марта вмиг разобралась с диспетчерской и управляющей компанией, просмотрела все накопившиеся квитанции, вызвала слесаря, велела ему осмотреть все краны и сливы, потом сама проверила все выключатели и розетки и пришла к выводу, что электрика вызывать нет необходимости.

— Ох, Марточка, спасибо вам огромное, так выручили. Не зря Ирка мне сказала: если что, обратись к Марте, она всегда поможет!

Они еще попили чаю с принесенными Мартой пирожными, поговорили о том о сем.

— Ох, Марта, как моя Ирка с малолетства бредила этой Америкой, а теперь вот не чает как оттуда домой вернуться. Я рада. Сколько можно за океаном... Была я у них в этом Нью-Йорку... Содом и Гоморра! Я на улицу выйти одна боялась. А вы там были?

— Была!

— И как вам?

— Интересно! Даже весело! Только я все время вспоминала песенку «Небоскребы, небоскребы, а я маленький такой...» — засмеялась Марта.

Они еще поболтали, и Марта ушла. Она не стала вызывать такси, а решила дойти до метро. Погода была хорошая, морозец, снег скрипит под ногами, как в детстве.

Она остановилась у витрины цветочного магазина. Ее внимание привлекла орхидея редкого лимонного цвета. У нее на кухонном окне стояло уже шесть горшков с разными орхидеями, но лимонной еще не было. Марта любила эти цветы, оказавшиеся совсем неприхотливыми: пои их раз в неделю вдоволь и все. А цветут они по полгода. Зайду, решилась она, и если куплю, вызову все-таки машину, а то в метро цветок могут поломать, да и холодно на улице.

Она вошла в магазин и глаза разбежались.

— Марта, это вы? — раздался мужской голос.

Она подняла глаза. Лицо мужчины показалось смутно знакомым.

— Не узнаете? Немудрено. Мы виделись однажды и накоротке... Земцов, помните?

— Ах, да! Конечно! Алексей, кажется?

— Совершенно верно! Марта, умоляю, помогите! Нужно подарить цветы маме, у нее юбилей, семьдесят лет. Гляжу вот на все эти букеты, мне они не нравятся. Хотелось бы что-то оригинальное...

Марта огляделась.

— А какие цветы и цвета предпочитает ваша мама?

— Знаете, у мамы была тяжелая жизнь, цветами она не избалована... — грустно улыбнулся он.

Надо же, какие эти шпионы обаятельные... мелькнуло в голове у Марты.

— Ну, тогда, пожалуй, розы. Какие-нибудь шикарные розы. Но розы неважно стоят. А надо бы, чтобы они подольше радовали вашу маму. Знаете, в такой ситуации, вероятно, лучше всего хризантемы. Вот, гляньте, эти... хотя нет... они тут не очень свежие... Да и розы...

— Девушка, что вы выдумываете! — возмутилась продавщица. — Цветы свежайшие!

— Ничего подобного, посмотрите на листья... — мягко возразила Марта. — Алексей, вам к которому часу цветы нужны?

— Вообще-о они нужны мне завтра утром, часам к двенадцати.

— Вы с ума сошли! — ахнула Марта.

— А что, лучше покупать завтра?

— У вас есть такая возможность?

— Да. Я освободил себе завтрашний день. Мамин праздник... Поеду на дачу ее поздравить. Но что вы предлагаете?

— Езжайте с утра на рынок, там выбор большой, по крайней мере у нас на Рижском рынке просто грандиозный.

— Марта, а вы... вы не согласились бы меня проконсультировать? А? Я бы утром заехал за вами и потом доставил обратно? Вы ж недалеко живете.

— Можно.

— Замечательно! А вы сейчас домой?

— Да. Хотела купить тут орхидею...

— Так я вас довезу, у меня тут рядом машина!

— Ой, спасибо, буду рада. Девушка, дайте мне вот эту орхидею!

Продавщица, что-то проворчав, завернула орхидею в бумагу.

— Знаете, как за ними ухаживать?

— Знаю, знаю!

Они вышли на улицу. Машина Земцова стояла неподалеку на платной стоянке.

Когда они сели в машину, Земцов спросил:

— А как Миша поживает? Пару раз видал его по телевизору. Он молодец!

— Да, молодец! — вздохнула Марта.

Земцов метнул на Марту быстрый взгляд.

— Ему повезло.

— Что вы имеете в виду? — насторожилась Марта.

— У него на редкость добрая и понимающая жена.

— Спасибо. Очень мило с вашей стороны.

— И еще красивая.

Марта рассмеялась. Земцов тоже.

— Леша... Можно звать вас Лешей?

— А как же иначе!

— А как у вас сложилось?

— Да, в общем, неплохо, я работаю, много. Но не публично.

— Поняла. А на семейном фронте?

— Вы считаете это фронтом? — фыркнул Земцов.

— Да, это фронт... Фронт в тылу врага... — грустно проговорила Марта.

— Господи, это вы о Мише?

— Да нет, что вы! Миша чудесный муж и человек. Но его первая профессия... накладывает отпечаток. Ох, простите, Леша, я не хотела...

— Я ничего не слышал! Мы умеем молчать, поверьте.

— О! Это я знаю!

— А как поживает ваш кот?

— Кот?

— Ну вы же при нашей первой встрече умчались кормить кота, хотя я понял, что это был предлог. Вы решили оставить старых боевых товарищей наедине. Так как здоровье кота?

— Отлично! Миша настоял, чтобы кота перевезли жить на дачу, и он там, кажется, счастлив.

— А вы по нему скучаете, да?

— Очень, очень скучаю! Миша так занят всегда...

— Ну вот, приехали. Если вы не передумали, я завтра в половине одиннадцатого буду ждать вас здесь.

— Хорошо. На всякий случай запишите мой телефон. Вдруг вы не сможете.

— Ну что ж, давайте! Я тоже ваш запишу.

Они обменялись телефонами, и Земцов уехал.

Чертовы шпионы, подумала Марта, он ведь так и не ответил на вопрос о семье. А я, кажется, сболтнула лишнего. Ну ничего, он будет молчать в тряпочку!

Дома она достала из шкафа прозрачное пластмассовое ведерко от соленых огурцов и поставила в него орхидею. Эти цветы должны стоять в прозрачных горшках. Пока так постоит, потом куплю ей прозрачное кашпо. Марта нежно любила свои орхидеи. И каждой давала имя. Белую звали Белоснежкой, розовую Розалиндой, малиновую Малей. И так далее. Желтую она назвала Цыплюней. Говорить Мише о встрече с Земцовым или не стоит? Лучше сказать. Но он вернулся, когда она уже спала, а утром, едва проглотив завтрак, умчался. Ладно, потом скажу, решила Марта.

Земцов позвонил утром, узнать в силе ли их договоренность.

— Ровно в половине одиннадцатого я вас буду ждать внизу.

— Да-да, конечно!

Марте вдруг захотелось принарядиться, подкраситься маленько, а почему, она и сама не знала. Земцов ей вчера понравился. Хотя мой Миша все равно лучше...

Она вышла как раз в ту минуту, когда Земцов подкатил к подъезду.

— Марта, вы сегодня чудесно выглядите. Садитесь. Какие приятные духи!

Они долго ходили по рядам, Марта выбирала цветы очень придирчиво.

— Знаете, Леша, пожалуй, все-таки лучше купить тюльпаны. Сегодня здесь такой выбор...

— Марта, милая, я ей-богу ни черта в этом не смыслю.

— Вот, взгляните, какая красота!

Марта ухватилась за большущий букет разноцветных тюльпанов. Их там было штук пятьдесят — и белые, и красные, и розовые, и лиловые, и желтые, и оранжевые.

— Да, в самом деле красиво.

— И видите, они еще в бутонах, не распустившиеся, значит простоят дольше и вообще... прелесть невообразимая...

Это ты прелесть невообразимая, с тоской подумал Земцов.

— Леша, вы тут расплачивайтесь, а я пойду куплю кое-что для хозяйства, встретимся у выхода, ладно? Я быстро!

— Хорошо, идите!

Марта пошла купить творог и сметану, а потом еще свежую рыбу и зелень. К ней подошел Земцов.

— Давайте сюда ваши пакеты! И вот, держите!

Он протянул ей букет, точно такой же, как купил для матери.

— Зачем это? — смутилась Марта.

— В знак благодарности. Вы мне очень помогли.

— Спасибо... Но мне как-то неловко.

— Почему?

— Не знаю... Но так или иначе, спасибо!

Она отдала ему пакеты, взяла букет. И они пошли к машине.

— Марта, а может, выпьем кофе тут в кафе?

— Я бы с удовольствием, но я боюсь за цветы. И вообще, вам еще за город ехать. А мне готовить ужин...

— Слово дамы — закон!

Когда они подъехали к дому, Земцов вдруг сказал со вздохом:

— Боброву здорово повезло... На семейном фронте. Так ему и передайте!

— Непременно!

Видеодонос

Бобров по дороге домой попал в жуткую проб-
ку. В кои-то веки вырвался домой не очень поздно,
так хотелось провести вечер с Мартой, он скучал
по ней. И тут его телефон подал сигнал. Пришло
сообщение. Это был целый видеорепортаж. Вот
Марта выходит из подъезда. Из припаркованной
рядом машины выходит мужчина. Ба, да это же
Леша Земцов. Марта подходит к нему, он целует
ей руку, и она садится к нему в машину. И что все
это значит? — в бешенстве подумал Бобров. Вот
они вдвоем на Рижском рынке. Вот Земцов рас-
плачивается за букет тюльпанов. Марта выбирает
рыбу. К ней подходит Земцов, забирает у нее пакеты и протягивает ей букет. Они вместе идут к
машине. У обоих очень оживленные лица. На этом
репортаж заканчивался. Никаких комментариев.
Адрес отправителя скрыт. Навалилась тоска. Неужели двойное предательство? Опять? Зачем это?

Как она могла? Ну Алексей он кобель, тут все ясно... Но Марта? Моя Марта? И зачем ей это? Вдруг накатила ярость, потемнело в глазах. Погоди, сказал он себе. Прежде всего надо разобраться, кому это нужно? И неужели Алексей мог не заметить слежки? Мог, только если голова шла кругом от присутствия желанной женщины. Моей женщины! А может, он сам это устроил? Чтобы увести мою Марту? И это после того, что я для него сделал? Не может такого быть! Хотя все может быть в этой жизни. Ладно, сейчас приеду домой и посмотрю ей в глаза... Интересно, а цветочки стоят? И что она мне наврет про них? Но как она может? Хотя чему удивляться, я почти не бываю дома, ей грустно, а тут такой мачо... Может, ничего у них еще и нет... Ох, как противно... как тошно усомниться в моей маленькой...

Марта радостная выбежала в прихожую.

— Мишка, ты сегодня рано! Что с тобой? Что-то случилось?

— Сейчас посмотрим! — зловеще проговорил Бобров и заглянул в комнату.

На столе стоял тот самый букет тюльпанов.

— Цветы? Откуда? — спросил он каким-то мертвым голосом.

— Еще один шпион подарил! — засмеялась Марта.

— Что?

— Земцов подарил.

— Земцов? С какой это стати?

— А я ему помогла. В знак благодарности. Ты что, ревнуешь?

— Так ты не ответила, с какой стати Земцов дарит тебе такие букеты?

Марта честно рассказала как все было.

— Значит, с рынка он привез тебя домой?

— Ну да, и поехал поздравлять маму!

Бобров взял в ладони ее лицо, заглянул в глаза. Они не лгали, понял он.

— Миш, а в чем дело? Ты что, уже вообразил, что жена и друг... вместе тебя предали? Так, вижу, что не ошиблась. Но это только букет навел тебя на такие мысли?

— Нет. Не только. Вот, полюбуйся, что я получил по дороге домой. Что я должен был думать?

— Ты дурак! — сказала Марта, просмотрев запись. — Если б ты вчера пришел домой пораньше, я бы тебе сразу все сказала про Земцова. Но ты пришел, когда я уже спала, а утром спешил как на пожар. Кстати, подбор кадров очень тенденциозный. Нигде не видно второго букета, думаю тут был монтаж. А вот эту рыбу я сегодня тебе на ужин приготовила, — Марта заплакала.

— Ну все, маленькая, перестань, хватит плакать. Признаю свои ошибки! Но что я должен был подумать?

— Ты должен, нет, обязан был подумать, кому это понадобилось!

— Ума не приложу!

Бобров лукавил, он подозревал Надежду, но не говорить же Марте о ней.

— А я, кажется, догадываюсь! — проговорила вдруг Марта.

— О чем догадываешься? О том, кому это нужно?

— Да! Именно!

— И кому же?

— Алле Силантьевой! — крикнула Марта в запальчивости и тут же пожалела об этом.

Бобров вытаращил глаза.

— Алле Силантьевой? Журналистке? А она тут с какого боку?

— Она... Нонна Слепнева это она!

— Что за бред?

— Ничего не бред! Ты же у нас выше этого, ты даже ничего не прочитал, а я читала... И попросила знакомых разузнать, кто такая Нонна Слепнева, потому что она явно влюблена в тебя как кошка! Роман пишет, тайны разводит, и вот за мной стала следить, чтобы к моменту, когда она соизволит раскрыть свой псевдоним, наши отношения испортились, а она красавица, успешная журналистка, да еще и романы пишет... А ты, разведчик, даже не почесался, чтобы узнать, что за Нонна Слепнева такая... — заливалась слезами Марта.

— Информация достоверная?

— Более чем.

— Интересное кино...

Аллу Силантьеву, журналистку, Бобров видел три раза в жизни. Она действительно строила ему глазки, но он резко это пресек, был даже не слишком вежлив. Она, как ему показалось тогда, вняла его словам. Он дал ей интервью и она сделала очень достойный материал. Больше он ее не видел и напрочь выкинул из головы.

— Маленькая, кончай рыдать. Даже если все это так, то я-то в чем виноват? И, поверь, в ближайшие дни я с этим разберусь. Не люблю, когда из меня делают дурака.

А про себя подумал: достали, бабы!

А на другой день ему позвонил Земцов.

— Миша, ты в курсе, что я общался с твоей очаровательной женой?

— Разумеется, в курсе.

— А Марта передала тебе мои слова?

— Какие именно?

— О том, что тебе здорово повезло на семейном фронте?

— Да, передала, — хмыкнул Бобров.

— А ты передай ей, что мама буквально плакала от восторга! Ей-богу! Она сказала, если бы я подарил ей розы, она бы сочла это просто формальным подарком, а этот букет тронул ее до глубины души. Вот так!

— Хорошо, передам! Да, Марта хорошо разбирается в цветах. И вот что, Леша... Давай приходи в субботу к нам в гости.

— В гости?

— Да. По-моему, это будет нормально, учитывая наш общий анамнез.

— Что ж, с удовольствием.

— Приходи с дамой, если хочешь, будем рады.

— Пожалуй, не стоит. А если я приду с сестрой?

— С сестрой? Отлично, приходи с сестрой. Я даже не знал, что у тебя есть сестра.

— Есть, на три года младше. Она недавно разошлась с мужем и ей грустно. А улыбка твоей жены может развеять любую грусть.

— Что верно, то верно! — засмеялся Бобров. — А как зовут твою сестру?

— Люба.

— Прекрасно. В субботу в семь мы вас ждем!

— Спасибо, Мишка! Я тронут!

Бобров позвонил жене и предупредил о субботнем визите.

— Прости, что не спросил тебя, но так получилось... Ты не против?

— Нет, нисколько! А может, еще кого-нибудь позовем, Пыжиков, например?

— Думаю, на первый раз не стоит.

— Ну, как скажешь. Только утром надо съездить к Миле.

— Хочешь, я один съезжу? Ты ведь небось стряпню разведешь...

— Факт, разведу, — засмеялась Марта.

В перерыве между лекциями Бобров позвонил Костенко.

— Игорь Олегович, есть вопрос.

— Я весь внимание, дорогой мой Михаил Андреевич!

— Нонна Слепнева это Алла Силантьева?

— Как вы узнали? — поразился Костенко. — Хотя что это я, забыл с кем имею дело! Не стану отрицать, но очень прошу не разглашать тайну псевдонима. Алла ни за что не хочет потерять свою репутацию острой и достаточно жесткой журналистки.

— Дальше это никуда не пойдет.

— Благодарю вас, Михаил Андреевич.

Так, значит, Марта права. Но я не уверен, что видео дело рук Аллы. А впрочем, она, похоже, открыла на меня охоту... Позвонить ей и спросить напрямик? Нет, надо бы увидеться с ней и по глазам я все пойму. Нет, не стану я делать ей таких подарков, лучше погляжу, как будут развиваться события. А ведь кто-то, Алла или кто-то другой, выслеживает Марту, хочет подловить ее на чем-то, только таким образом можно было снять эти кадры. О случайности тут речи нет. Скорее всего, это Надежда, хотя ей-то зачем это нужно? Хуже нет иметь дела с бабьем. Вот я пригласил в гости Лешку Земцова и точно знаю, что, побывав у меня в доме, он никогда не посмеет посягнуть на мою жену, хоть она явно поразила его воображение. А с бабами... никогда ничего нельзя знать... Особенно с хитромудрыми, как эта Алла или Надежда...

...Марта решила приготовить роскошный ужин, прошерстила Интернет в поисках оленины или лосятины, в результате за бешеные деньги заказала большой кусок лосятины и накануне утром замариновала мясо. Пусть маринуется сутки, тогда с гарантией будет мягкое.

— Миша, ты завтра действительно съезди сам к Миле.

— Ты что-то грандиозное затеваешь?

— Нет, просто мясо надо долго запекать в духовке, а потом еще тушить...

— Это ты для Лешки так стараешься?

— А хоть бы и так! Он приятный человек, а его сестра расстроена разводом, пусть им будет вкусно, и пусть они поймут, что их тут ждали, им рады...

— Да, на семейном фронте мне повезло, — засмеялся Бобров.

И чего у меня, как у Цветаевой, попытки ревности... Я ведь уверен, что моя маленькая любит меня?

Два шпиона за стеной...

Бобров вернулся от тетки, заглянул на кухню, где Марта что-то взбивала в мисочке.

— Боже, какие ароматы! С ума сойти! У меня слюнки текут.

— А Миля тебя не покормила?

— Покормила, конечно, но от этих запахов и у сытого живот подведет. А это что ты взбиваешь?

— Заправку для салата. Миш, ты не очень устал? Может, накроешь на стол?

— В комнате?

— Конечно! Первый раз люди придут, а мы их на кухню?

— Как скажешь!

— Да, и еще открой баночку с брусникой, у меня не получается!

Бобров открыл банку.

— Да, Миш, в пятницу прилетают Петька с Ирой, надо бы их встретить. Сможешь?

— В котором часу?

— В восемь вечера.

— Не получится, увы. У меня же эфир!

— Ох, я и забыли... Ладно, сама встречу! Как жаль, что я не могу поехать на машине. Ну да ладно, поеду экспрессом. Не проблема!

Бобров накрыл на стол. Окинул его придирчивым взглядом. Красиво! От родителей Марты остался чудесный веджвудский сервиз, настоящий, коричневый с белым. При виде него Боброву вспоминалась Англия, вернее, то, что нравилось ему там... В его доме было несколько веджвудских тарелок, они висели на стенах гостиной... Поэтому, когда он обнаружил, что у Марты есть такой сервиз, то подумал: с ума сойти, у этой женщины есть все, что нужно для счастья, даже веджвуд... Он никогда не говорил ей об этом. Он вообще почти ничего не говорил ей о жизни в Англии, а она не спрашивала. И он был ей безмерно за это благодарен.

Сестра Земцова Люба сразу понравилась Марте. Она вовсе не выглядела грустной, наоборот, была оживлена и доброжелательна.

Земцов принес Марте в подарок орхидею, белую с лиловым сердечком, а Боброву бутылку шотландского виски.

— Мы как только вышли из лифта, Люба мне заявила: «Так вкусно пахнет, я уверена, что так пахнет только у хороших гостеприимных людей!» — со смехом сообщил Земцов.

Женщины улыбнулись друг другу, и всякая неловкость исчезла.

А Земцов думал: да, хитер Мишка, позвал меня в дом, понимает, что теперь я даже в мыслях не посмею... А она мне так нравится... Кажется, никогда ни одна женщина мне так не нравилась... Но это святое! Особенно, если вспомнить, что Бобров меня буквально спас... Все. Это табу!

Гости восхищались кулинарными талантами хозяйки, а она сияла, ей было приятно, ей нравились эти люди, и Алексей нравился даже чуточку больше, чем следовало бы. Бедный, думала она, у него нет такой любящей жены, как у Миши, хотя благодаря Мише он не сидел в тюрьме, а, значит, его не так жалко... Как их подбирают, этих шпионов... Но не может же быть, чтобы все они...

— Ой, а можно мне вопрос! — вдруг спросила изрядно уже захмелевшая Марта.

— Если речь не идет о государственных тайнах, — засмеялась Люба.

— А я даже не знаю... — вдруг смутилась Марта. — Может, это и тайна... Вот скажите, а что, шпионов... то есть разведчиков, подбирают специально таких...

— Каких? — улыбнулся Земцов.

— Ну... таких привлекательных, интересных, умных... Вот тут двое жутко интересных мужчин, оба шпионы... и складывается такое впечатление... Леша, ответьте вы мне, а то Мишка, он... может меня послать, а вам неудобно будет...

— С удовольствием отвечу! — заявил совершенно очарованный Земцов. — Судя по вашим словам, милая Марта, у вас представление о нашем брате такое, я бы сказал... пушкинское...

— Пушкинское? — удивленно вскинул бровь Бобров.

— Вам, вероятно, представляется, что мы как у классика «Чешуей как жар горя тридцать три богатыря...»

— Ага! — захохотал Бобров. — И с ними дядька Черномор, Матвеев, да?

— Можете смеяться сколько угодно, — сказала Люба, — но я понимаю Марту. Глядя на вас двоих можно так подумать!

Марта с благодарностью на нее взглянула.

— Слушай, Леш, мы тут комплиментов от дам наслушались, это приятно, и не станем их разочаровывать, рассказывать, какие среди нас иной раз упыри встречаются...

— Уж так прямо и упыри?

— И упырей даже больше!

Перед тем как перейти к десерту, женщины убрали со стола и задержались на кухне.

— Как у вас уютно и хорошо, Марта!

— Спасибо, мне приятно это слышать. Мы не часто принимаем гостей, а я это люблю. Скажите, Люба...

— А давай на ты!

— Давай! Скажи, Люба, а ты знала, чем занимается Алексей?

— Нет, даже не подозревала. Говорили, что он женился на канадке и умотал туда. Очень редко от него приходили письма из Канады... Но ни в какие контакты на современном уровне, ну там Интернет, соцсети... нет... И однажды я подумала, а не шпион ли мой братец...

— А ваша мама?

— Мама тоже не знала или знала, но мне не говорила... Боялась, что могу сболтнуть... Не знаю! У нас не самая разговорчивая семья.

— А жена... канадская жена, она была настоящая?

— Откуда мне знать? Но до их отъезда мне казалось, что у них настоящий роман. Но одно я теперь знаю — что твой муж спас моего брата ценой собственной свободы. Он мне это сказал, когда передал ваше приглашение. А я спросила, что за жена у этого героического человека, а Лешка сказал: «Это самая очаровательная женщина, каких я только встречал».

— Ой!

— И он не преувеличил. У тебя такая улыбка...

— Люба, а кто ты по профессии?

— Я гемолог.

— Погоди, это связано с драгоценными камнями, да?

— Да, меня с детства привлекали камни, их история, легенды, с ними связанные. Я решила сперва, что буду ювелиром, но я совершенно не умею рисовать. А вот профессия гемолога это то, что надо.

— То есть ты можешь определить истинную ценность камня?

— Конечно, говорят, у меня хороший глаз. Так что если соберешься купить себе какую-то драгоценность, обратись ко мне, а то можно легко нарваться на качественную, иной раз даже суперкачественную подделку.

— Спасибо, но я как-то не по этому делу.

— А муж тебе цацки не дарит?

— Муж? Нет, он мне шмотки дарит, как правило, жутко дорогие, у него хороший вкус... В прошлом году он заставил меня отдать кому-нибудь больше половины моих вещей. Сказал, это рынок!

— И ты отдала?

— Конечно! — как-то беспомощно улыбнулась Марта.

— Любишь его?

— Ужасно!

— Счастливая ты.

— Да, наверное...

— Девушки, что это вы нас бросили? Мы сладенького хотим! — донесся до них голос Земцова.

— Да, идите к нам скорее! — поддержал его Бобров.

Марта схватила блюдо со своим коронным яблочным пирогом и вошла в комнату со словами:

— Два шпиона за стеной жалобно заныли, с детства памятный напев, братцы, это вы ли?

Мужчины покатились со смеху.

Когда гости ушли, Бобров сказал:

— Приятно было, только Лешка в тебя влюбился.

— Что за глупости!

— Влюбился, влюбился! Да и ты на него благосклонно поглядывала.

— Да, — просто ответила Марта, — он обаятельный человек, интересный мужчина, и потом, у меня, видимо, вообще слабость к шпионам... Одного мне мало!

— Маленькая, не советую так шутить, дошутиться можно!

— Ты понял, что я шучу, это хорошо, а то иной раз тебя от ревности аж колотит.

— Скажи спасибо, что меня колотит, а не я... А то у меня рука тяжелая.

— Ты мне угрожаешь? Тогда имей в виду, если ты меня хоть пальцем когда-то тронешь, будешь жить в Ясеневе со своими бытовыми приборами!

— А я тебя хоть раз пальцем тронул? — как-то недобро прищурился Бобров. Он был нетрезв, и Марта решила свести все к шутке:

— Да постоянно трогаешь, и сейчас, я надеюсь, тронешь...

Она подошла к нему, села на колени и начала целовать.

Доблестный разведчик растаял.

Коварство и любовь

Нонна Слепнева закончила роман. Она была довольна. История получилась волнующая. Главный герой, Борис Барсуков, наверняка придется по вкусу читателям, а особенно читательницам. И Костенко наверняка увеличит тираж.

Ей безумно нравилась эта игра. Скромная учительница из Псковской области пишет популярные романы и не желает никакой публичности, и роскошная стерва-журналистка, которая благодаря своему острому перу и истинно журналистскому нахальству вхожа в высшие политические круги... Ну, допустим, пока не самые высшие, но у нее все впереди. И главная ее цель в этих играх — Бобров, мужчина, сразивший ее наповал. Она виделась с ним всего три раза, но он занимал все ее чувства и мысли. Я видела его жену — ничего особенного, миленькая, не более того. Для начала надо затащить его в постель... Вероятно, это будет не так легко. Но одолимо. А там уж поглядим, чья возьмет. Я землю с небом сведу, а Бобров будет моим мужем. Я поставила себе такую задачу, а значит, я справлюсь. Все задачи, которые я себе ставила до сих пор, я выполняла. Я поставила себе цель — уехать из занюханного Кирово-Чепецка в Москву и уехала. Казалось бы невыполнимая задача — поступить без связей, без денег на журфак МГУ, а я поступила! Была еще задача — победить в конкурсе красоты, и я победила дважды! Еще одна задача — уложить в койку одного женатого олигарха — уложила! Благодаря этому у меня есть хорошая московская квартира. Так что ж, я не справлюсь с бывшим шпионом? При мысли о нем у нее душа уходила в пятки — если я его не заполучу, все будет напрасно! Он стал такой острой необходимостью, такой постоянной болью, что... Я знаю о нем, кажется, все, что можно найти в открытом доступе.

Она долго разрабатывала стратегему. Действовать обычными примитивными женскими уловками бесполезно. И вдруг ее осенило: я напишу о нем книгу, увлекательный шпионский роман, книга выйдет, наверняка будет иметь успех. Первые мои книги прошли очень недурно, но разве можно сравнить их с этой? Я писала ее с таким вдохновением, с такой любовью к герою... Костенко в восторге. Я сперва хотела получить какие-то консультации от своего героя, но потом поняла — нет, это не будет иметь того сногсшибательного эффекта, о котором я мечтаю. Я как журналистка нашла одного старого разведчика, который, что называется, ни сном ни духом, уболтала его, он меня проконсультировал. И теперь уж я дождусь выхода книги. Тогда Алла Силантьева напишет на нее лукавую рецензию — на первый взгляд разгромную, а по сути резко рекламную. Народ кинется раскупать книгу и вот тогда... Я позвоню ему, попрошу о встрече, подарю книгу и признаюсь во всем, и в любви тоже, мне не западло признаться ему в любви. И он не устоит... Надо только придумать, в какой обстановке лучше провести эту знаменательную встречу. О, сколько раз она уже прокручивала в голове, как это будет... И как она оденется... Черт, черт, тут все должно быть без сучка и задоринки. Костенко божился, что кроме него в издательстве ни одна душа не знает, кто такая Нонна Слепнева. А можно ли ему верить? Сам Бобров, конечно, может докопаться, но он не станет, он явно выше этого. Я, конечно, поначалу наделала глупостей, но, как говорится, Бог не выдаст, свинья не съест. А только Бобров будет мой!

Костенко обещал, что выпустит книгу месяца через полтора. Надо набраться терпения. Но деятельная натура Аллы не терпела простоев, тем более в таком деле. И она решила — надо попасть в дом Боброва, посмотреть, как он живет. Понять, что ему нравится, познакомиться с его женой, что-то еще о нем понять... И, недолго думая, она набрала домашний телефон Боброва. Ответил женский голос.

— Алло!

— Добрый день. Я могу поговорить с Мартой Петровной Сокольской?

— Я вас слушаю.

— Марта Петровна, это говорит журналистка Алла Силантьева.

У Марты замерло сердце. Но она взяла себя в руки.

— Если не ошибаюсь, вы в прошлом году брали интервью у моего мужа?

— Совершенно верно!

— Михаила Андреевича сейчас нет в Москве.

— На сей раз мне нужен не Михаил Андреевич, а вы.

— Я?

— Да! Я хотела бы взять интервью у вас.

— Господи, зачем?

— Видите ли, Марта Петровна, я задумала сделать цикл интервью с нашими разведчиками и их женами. Это будет чрезвычайно интересно читателям. Как эти супермены живут, какие они в быту, что любят. Было бы замечательно, если бы вы пустили меня в дом, чтобы я могла составить себе представление... Соглашайтесь, Марта Петровна!

— Не знаю... Я должна подумать... — слегка растерялась Марта. Но внезапно ей стало интересно поближе посмотреть на эту женщину. — А впрочем... Хорошо, когда вы хотите прийти?

— Если можно, завтра.

— Завтра я могу только в первой половине дня, часов в одиннадцать.

— Замечательно! Я записываю адрес!

Дневник

Может быть, завтра я что-то пойму для себя. Есть между ними что-то или это плод моей фантазии? Но то, что она охотится на Мишу, совершенно явно. Подбивает к нему клинья со всех сторон. Миша молчит, как будто даже забыл о том, что я узнала. А как мне быть? Сказать ей напрямки, что я в курсе, кто такая Нонна Слепнева? Нет, нельзя, я могу подвести человека, который раскрыл тайну псевдонима, его за это могут запросто выгнать с работы. Может, стоило бы сообщить Мише? Тоже нет, он рассердится, чего доброго вообще запретит мне с ней встречаться. Просто не стану ему говорить про это интервью. Скорее всего она его и публиковать не будет, ей просто по-бабьи интересно посмотреть, как он живет, познакомиться с его женой. Это можно понять. Ладно, у меня теперь будет новый девиз: «Молчи в тряпочку! Впрочем, не такой уж он и новый!»

Марта с утра привела себя в порядок, чтобы не ударить лицом в грязь перед красивой журналисткой. Буду с ней максимально милой и приветливой, как будто ни о чем не подозреваю.

Визит невежливости

Ровно в одиннадцать раздался звонок домофона. Марта открыла. Вскоре из лифта вышла поистине ослепительная женщина. Как с обложки глянцевого журнала! Высокая, ноги от ушей. В красивом жакете из голубого песца.

— Вы Алла?

— Да, — очаровательно улыбнулась журналистка. — А вы Марта?

— Ну конечно! Прошу вас, проходите!

Алла не думала, что будет так волноваться.

— Вы очень точны, это приятно, — обаятельно улыбнулась Марта.

Ох, черт, какая улыбка... И она не так проста, эта Марта...

«Ух, какая красавица, — подумала Марта, — неужели Мишка устоял? Тогда он истинный герой!»

— Алла, хотите кофе или чаю?

— Кофе я бы выпила.

— Так может, пойдем на кухню?

— С удовольствием! Боже, какие у вас орхидеи, и все цветут! Вы как-то особенно за ними ухаживаете?

— Нет, они вообще неприхотливы.

— А у меня почему-то цветы не приживаются, я больше их не завожу, бесполезно.

Марта сварила кофе в кофеварке и достала деревянную коробку, расписанную лютиками. В коробке лежали вафли.

— Вот, попробуйте, эти вафли печет Михаил Андреевич.

На самом деле Бобров давно уже не пек вафли. Марта сама вчера их напекла. Специально!

— Да что вы говорите! Как интересно. О, тут даже написано «Вафли по-шпионски!» Надо же! Как мило!

— Попробуйте, это очень вкусно!

— Непременно! Но сначала к делу!

Алла вытащила из сумки айфон, включила его на запись.

— Итак, Марта, расскажите о своем муже!

— Мой муж — лучший человек, который встретился мне в жизни. Прежде всего он настоящий мужчина, мужчина с большой буквы, что в наше время редкость.

— Марта, но это все-таки общие слова... — мягко заметила Алла.

— Ну, тогда задавайте мне наводящие вопросы.

— Хорошо. Начнем сначала. Как вы познакомились?

— Совершенно случайно. На парковке одного супермаркета. Мне нужна была помощь... с машиной... Михаил Андреевич мне помог. Только и всего. А потом была еще целая цепь случайностей...

Марта не хотела рассказывать, как все было на самом деле.

— И что это за случайности?

— Их было немало. Но в конце концов Михаил Андреевич стал регулярно появляться в здании, где я работала на радио. Он тоже выступал там в прямом эфире раз в неделю. Так и встретились.

— И вы быстро поженились?

— Примерно через полгода.

— Вы сразу поняли, что этот человек ваша судьба?

— Ну, это звучит чересчур пафосно. Скажу иначе — я вдруг поняла, что этот человек нуждается во мне не меньше, чем я в нем. Знаете, я недавно прочла какой-то роман про разведчиков, и там все они железные люди, рыцари без страха и упрека... — решила слегка схулиганить Марта, — а на самом деле это живые люди со своими слабостями, комплексами, они тоже нуждаются в человеческом тепле. Бесспорно только одно. Это в высшей степени умные и прозорливые люди.

— Извините, Марта, а как назывался тот роман, который вы читали?

— Ой, я не помню. Это вообще ерунда какая-то... — с невинным видом проговорила Марта.

— Марта, вы отвечаете все какими-то общими фразами, а меня интересуют не разведчики вообще, а в данном случае совершенно конкретный человек, ваш муж! Какие у него слабости, что он любит, чем интересуется в гражданской жизни, чем увлекается в свободное время?

Ты меня еще спроси, какие позы он предпочитает в постели, со злостью подумала Марта. Или ты уже в курсе?

— Ну что вам сказать... Свободного времени у него крайне мало, и он предпочитает проводить его дома, со мной, любит смотреть хоккей по телевизору, вафли вот печет, говорить о своей прежней работе терпеть не может, это вообще табу. Любит нашего кота Тимошу, свою старую тетушку... В театр не ходит, говорит, ему там или скучно, или тошно. А вообще он очень любящий и внимательный муж, любит сам покупать мне одежду. И я ему позволяю, у него прекрасный вкус...

Алла вдруг очень пристально посмотрела на Марту. Зря ты, голубушка, наводишь тут тень на плетень, я же чувствую, что ты меня дразнишь... Неужто поняла, что мне нужен твой муж? Значит, не такая уж ты клуша, но до меня тебе далеко, по всем параметрам далеко!

— Марта, скажите откровенно, как говорится, без протокола, видите, я выключила запись, зачем вы согласились на интервью? Вы же ничего не говорите, кроме каких-то общих мест... Читателю не это нужно...

— Ну, читателю, возможно, нужны какие-то пикантные подробности?

— Было бы желательно...

— Честно говоря, я предполагала, что вы своими вопросами сумеете вывести меня на нужные ответы, а вы задаете мне какие-то общие, практически ничего не значащие вопросы. Иными словами, каков вопрос, таков ответ. Уж не взыщите. Судя по интервью, которое вы брали у моего мужа, вы опытный и даже талантливый журналист, а сегодня я бы этого не сказала! — вдруг вышла из себя Марта. Ей страшно хотелось заплакать, но она взяла себя в руки. Не плакать же перед этой... врагиней...

Алла побледнела. Что эта баба себе позволяет!

— Ну что ж, значит, интервью не будет! — ледяным тоном произнесла она и спрятала айфон в сумку.

— Я надеюсь, его действительно не будет. Я не даю разрешения на публикацию чего бы то ни было из сегодняшнего разговора.

— Да кому нужны эти ваши благоглупости! И к тому же я убеждена, что вы все наврали! Не может такой фантастический мужчина любить такую клушу!

Марта вдруг начала хохотать.

Алла недоуменно оглянулась на нее.

— Что тут смешного?

— Имейте в виду, Бобров не дичь, а вы к тому же плохой охотник! Вам нестерпимо хочется поймать его, и в этом своем неуемном желании вы то и дело совершаете глупости. Впрочем, это понятно, от любви люди часто дуреют!

Алла, уже надев свой жакет, вдруг с ненавистью взглянула на Марту.

— Как бы ты тут ни бесилась, а я его отобью! Можешь не сомневаться! Да, я сделала большую глупость, придя сюда, но я умею учиться на своих ошибках. А ты берегись, клуша!

Дневник

Господи, какая я дура! Зачем я устроила эту сцену? Собиралась ведь быть милой и приветливой. Но она так меня раздражала... Наглая, отвратительная баба! Но такая красивая. И сексапильная... Такие часто добивают-

ся своего. Она мне не поверила, а я ведь говорила правду. Миша и в самом деле хороший, внимательный, любящий муж. Собственно, наврала я только про вафли... И, кстати, у меня они получились хуже, чем у него. Но я должна с кем-то поделиться... Мише ни словечка не скажу! Позвонить Вике? Нет, она может проболтаться своему Пыжику, а какая у меня гарантия, что он не ляпнет по пьяни Мише? Позвонить Гуле? Но ее нет сейчас в Москве. Ладно, сама справлюсь.

Бобров вернулся в Москву, и Марта ничего ему не сказала. Зачем? Он бы только отругал ее. И еще чего доброго вздумал бы извиняться за нее перед этой стервой. Фу, как я могла даже подумать, что он способен меня предать? Стыдоба!

Алла была вне себя! Что эта клуша там плела про шпионский роман? Уж не мой ли роман она имела в виду? Костенко же давал Боброву куски моей рукописи, и какая гарантия, что их не читала эта клуша? И вроде бы Бобров благосклонно отзывался... Черт, сколько уж я глупостей наделала на этом пути! Мне так не терпелось протянуть к нему хоть какую-то ниточку. Зачем я попросила показать ему рукопись? Нельзя было этого делать. Может, клуша что-то заподозрила? Я так любила своего героя, что выдала себя? Но ведь героя, а не прототип... Я не предполагала, что рукопись попадет в руки этой клуши. Хотя не такая уж она клуша. Все, как говорила бабушка, проунькала. Но откуда она может знать, что это я Нонна Слепнева? Нет, не может она этого знать! Просто сболтнула к месту... Но больше медлить нельзя. Вот уж воистину от любви мозги отшибло, и чего я так завелась? Скорее всего потому, что еще ни один мужик не отказывал мне, а этот... а этот сразу заявил, что не покупается на дешевые приемчики. А на дорогие, выстраданные? И потом, любой мужик падок на восхищение его персоной, а я в своей книге уж так им восхищаюсь... Ладно, поживем, увидим, но он все равно будет моим!

Марта поехала в Шереметьево встречать брата с женой. Самолет из Нью-Йорка задерживался, и она решила выпить кофе. Интересно, Петька по-прежнему будет придираться к Мише или уже успокоился? Я должна делать вид, что у нас все абсолютно безоблачно. А на самом деле есть облака, есть, и уже не перистые... Мише хорошо, он привык все держать в себе, а я с этим молчанием в тряпочку уже едва справляюсь. И какая наглая сволочь эта Алла Силантьева! Явилась ко мне в дом. Я даже понимаю ее. Когда влюблена по уши, так хочется видеть, где, как и с кем живет объект твоей любви. А я словечка не проронила ему о визите этой наглячки.

Но вот объявили, что самолет из Нью-Йорка совершил посадку. Марта не спеша побрела туда, откуда выходят прибывшие. Однако ждать пришлось довольно долго. Но вот она увидела брата. И ужаснулась. Петр Петрович выглядел совершенно больным. А у Ирины было странное выражение лица.

— Петька! — бросилась к брату Марта.

— Мартышка! — криво улыбнулся он, и обнял сестру.

— Петечка, ты заболел?

— Считай, что умер уже, — пробормотал он.

— Господи, что случилось? — жутко перепугалась Марта. — Ира, что с ним такое?

— Нервы, — буркнула Ирина и поцеловала Марту. — Слава богу, мы дома! Господи, как я рада! А где твой муж?

— У него сегодня эфир.

— И слава богу! — заметил Петр Петрович. — Ты на машине?

— Нет, мне же нельзя за руль. Сейчас закажем такси, подъедет очень быстро. — И Марта принялась что-то набирать в своем смартфоне. — Будет через пять минут. Ир, мы с твоей мамой все в квартире привели в порядок. Татьяна Филипповна ждет вас дома. Она не захотела тащиться в аэропорт, говорит, ей там страшно.

— Ну и хорошо, — кивнула Ирина. — В самом деле, чего зря таскаться в такую даль по пробкам.

— Это все ваши вещи? — удивилась Марта. — Или остальное морем отправили?

— Конечно!

Машина и впрямь пришла быстро. Петр Петрович сел рядом с водителем.

— Ир, что с ним? Он ужасно выглядит!

— Совершенно слетел с нарезки! Там в последнее время и вправду тяжело было. За каждым шагом следили. Я пошла маме лекарство купить, так меня в аптеке задержали, стали проверять рецепт. Словом, дурдом! А Петька от этого всего уже буквально лез на стенку. Но мы про это потом поговорим. Ну а как ты?

— Про это тоже потом, — шепнула Марта.

Ирина встревоженно на нее взглянула.

Петр Петрович между тем разговаривал с водителем.

— Идиллия закончилась? — едва слышно шепнула Ирина.

— Я не знаю... Но все сложно.

— У тебя несчастные глаза.

— Да нет... все не страшно...

— Мартышка, а как твой Бобров? — спросил вдруг Петр Петрович.

— Да хорошо! Все отлично, Петечка!

— Ну и ладно!

Остаток времени ехали молча.

— Я с вами подниматься не буду, — заявила Марта. — Поздно уже, а в воскресенье ждем вас к обеду! К трем часам! Приготовлю твое любимое чахохбили, Петечка!

— Постараемся быть, — неопределенно ответил брат.

— Обязательно приедем! — добавила Ирина.

Бобров был уже дома.

— Я тебя так быстро не ждал, думал задержишься у брата. Ты чего такая расстроенная?

— Миша, Петька ужасно выглядит, постарел лет на десять... И с Иркой у них, по-моему, что-то неладно.

— Да, там сейчас нашим тяжело. Ну ничего, очухаются дома, отдохнут. Не расстраивайся, маленькая.

Он привлек ее к себе, обнял, поцеловал, и она растаяла. Может, и нет у него ничего с этой Аллой... Надо надеяться и не будет.

Утром Бобров сказал:

— Маленькая, я не смогу сегодня поехать к Миле, а завтра у нас ведь гости. Может вызовем Анатолия? Он отвезет тебя туда и обратно.

Анатолий был знакомым водителем со своей машиной. С тех пор как Марте запретили садиться за руль, он иногда возил ее. Это был очень степенный пожилой человек.

— А что у тебя?

— Интервью!

— Для кого?

— Для телевидения. Это важно!

— Ну еще бы! — хмыкнула Марта. — Ладно, звони Анатолию!

Синдром шпиона

— Мартинька! — обрадовалась Милица Артемьевна. — Тебя Толик привез? А что Мишка?

— Интервью дает! Для телевидения.

— Ишь ты, просто звезда телеэкрана!

— И не говорите!

— Ты посидишь со мной?

— Часик посижу, может, надо помочь что-то?

— Да нет, Мишка же договорился с племянницей Даши, она два раза в неделю теперь приходит помогать по дому. А он тебе не сказал?

— Нет, — заплакала Марта. — Он мне вообще ничего не говорит.

— Глупость какая! Что тут скрывать-то? Профессиональная болезнь! Синдром шпиона! — рассердилась Милица Артемьевна. — Дурак!

— Ох, Милечка, что я вам расскажу...

И Марта вывалила ей всю историю с Аллой Силантьевой.

— Ну и нахалка! Да, конечно, она явно положила глаз на Мишку. В принципе я могу ее понять, он хорош, особенно с тех пор, как на тебе женился. Он словно тяжкий груз с плеч сбросил. Но ты правильно сделала, что не сказала ему ничего. Знаешь, даже если он и переспит с ней разок, не страшно. Мужики, они же такие... Ты только скандалов не устраивай.

— Миля, но она же на него нацелилась не просто переспать, а увести!

— Да обломается!

— Милечка, откуда такие словечки? — сквозь слезы улыбнулась Марта.

— Из телевизора, откуда ж еще. Так послушай, что я тебе скажу. Ну допустим, переспит он с ней, плоть, знаешь ли, слаба, а потом вернется домой, а там жена, любимая, спокойная, нежная, умная. И он подумает: какого черта я связался с этой бабой? Стыдно, нехорошо. За что мне обижать мою маленькую? И на этом все закончится. Поверь моему опыту! А если станешь уличать его в измене...

— Уличишь его, как же... С его-то опытом.

— Тогда что? Одни подозрения? Этого мало! И вообще, если любишь его и хочешь сохранить брак, то...

— То молчи в тряпочку?

— Вот именно! Ты пойми, если он захочет уйти...

— То все равно уйдет, да?

— Конечно, только не захочет он. Он тебя по-настоящему любит. Он мне говорил.

— Что? Что он вам говорил?

— Только пообещай, что не выдашь меня!

— Клянусь!

— Чем клянешься?

— Мишиным здоровьем!

— Серьезно! Так вот он мне как-то признался, что возит с собой коробочку с твоим носовым платочком, который регулярно смачивает твоими духами, иначе, говорит, заснуть не может. Так при чем тут какая-то влюбленная писательница?

— Это правда, Милечка?

— Думаешь, я способна такое выдумать? Он тогда выпил, расчувствовался... Ох, как ты просияла, моя девочка.

— Да... это здорово... Это о многом говорит. И черт с ней, с этой Аллой!

— Вот и умница!

Всю обратную дорогу Марта думала о том, что ей сказала Милица Артемьевна. Неужели это правда? Войдя в квартиру, она первым делом полезла в элегантную дорожную сумку Боброва, нарушив тем самым собственное непреложное правило — никогда не обыскивать вещи мужа. И в боковом кармане сумки действительно нашла не коробочку, а изящную визитницу, где лежал платочек, весь пропахший ее духами. С ума сойти! Конечно же, она расплакалась. Господи, как хорошо, как я его люблю! И никакие длинноногие стервы мне не страшны! И богатое воображение Марты сразу подкинуло такую картинку: Миша все же не устоял, трахнул эту длинноногую, а потом сказал: извини, я иначе не усну, достал Мартин платочек, положил на подушку и... Накося выкуси, Алла! И Марте стало легко и хорошо.

Бобров вошел в квартиру и сразу направился на кухню.

— Привет, маленькая! Стряпаешь?

— Да! Ты голодный?

— Как волк!

— Садись, буду кормить!

Как она любила его кормить!

— Ты сегодня веселая. А то в последнее время тебя как будто что-то тревожило, да?

— Нет, просто погода была гнусная, а сегодня солнышко... И с Милей так хорошо поговорили, она чудесная...

— Да, она чудесная, — улыбнулся Бобров. — А ты потрясающе готовишь.

...А утром позвонила Ирина.

— Мартышка, ты прости, мы не придем.

— Что случилось?

— Да Петьке ночью стало плохо, «скорую» вызывали... Гипертонический криз.

— Он в больнице?

— Нет, не пожелал, дома лежит.

— Господи, бедный... Ир, спроси, может, я приеду, чахохбили его любимое привезу, а?

— Спрошу. Подожди! Нет, Мартышка, говорит, у него сил нет. Но, по-моему, притворяется, — с раздражением произнесла Ирина.

— Ир, это он из-за Миши?

— Нет, просто капризничает. А знаешь что, давай я одна к вам приеду. Примете?

— Господи, Ирка!

— А мама с ним побудет! Она обожает зятя, а я устала от него... Уж извини.

— Понимаю. Приезжай, будем рады!

— Я тебе подарки привезла. И вообще соскучилась.

— Ждем! А чахохбили я для него все-таки отложу в баночку!

— Отложи!

Бобров сидел с какими-то бумагами.

— Миш, Ира одна придет, Петька заболел.

— Ну, судя по тому, что Ира придет, болезнь скорее всего называется аллергия на Боброва.

— Нет, у него был гипертонический криз, «скорую» вызывали, а с ним побудет Ирина мама.

— Ну допустим, — усмехнулся Бобров. — А Ирину я рад буду видеть.

После обеда Бобров дал дамам возможность пообщаться с глазу на глаз.

— Я, наверное, уйду от Петьки, — заявила вдруг Ирина. — Не могу больше, сил моих нет. Знала бы ты, во что он превратился... Чистый псих!

— Ирка, что ты говоришь!

— Знаешь, там всем было тяжко в последнее время, но такого, как с Петькой, по-моему, ни с кем не происходило. У него буквально развилась мания преследования.

— Ир, у тебя кто-то есть?

— Ты имеешь в виду мужика? Нет у меня никого, но я устала быть понимающей мудрой доброй женой. Устала, понимаешь? Мне ведь там не легче, чем ему было, я и свой груз волокла из последних сил, и еще он на меня все переваливал...

— Ирка, вам обоим надо отдохнуть как следует. А Петьке еще и лечиться. Может, ему лечь в клинику неврозов?

— Ха, ляжет он, как же! Думаешь, мне его не жалко? Жалко, конечно, все-таки уже двадцать лет вместе... Но сил моих больше нет! Хоть бы он бабу какую завел, может отвлекся бы, встряхнулся...

— Ты серьезно?

— Серьезнее не бывает.

— Могу устроить, — засмеялась Марта.

— Что устроить? Бабу?

— Именно.

— Объясни толком!

— Ир, ну я так... сболтнула... — замялась вдруг Марта.

— Нет, говори конкретно, что ты имела в виду.

— Понимаешь, я встретила тут одну свою бывшую одноклассницу. Она была когда-то по уши влюблена в Петьку, а он на нее даже не глядел.

— Ну и что?

— Он для нее до сих пор идеал мужчины!

— Знала бы она... — горько усмехнулась Ирина. — А впрочем... И что она собой представляет?

— Она очень красивая, бизнес-вумен, принципиальная холостячка, говорит, хомут ей шею трет...

— Да? Как интересно! Хомут шею трет... А что? Это можно... Романчик на стороне может оказаться хорошим лекарством.

— И ты не ревновала бы?

— Думаешь, мне впервой? Знаешь, сколько его романчиков я пережила?

— Господи, Ирка! — заплакала Марта.

— Мартышка, где в тебе столько слез помещается, такая маленькая, хрупкая, а слез...

— Ничего не могу с собой поделать. Я уж пытаюсь сдерживаться, не выходит. Я не плачу только, если очень разозлюсь.

— А ты умеешь злиться?

— Еще как!

— Ну, а как мы устроим их встречу?

— Надо подумать... Гульке надо сказать...

— Ни в коем случае! Она поймет, что ее просто используют. И вообще это дурь несусветная. Кроме очередной истерики ничего не выйдет. Даже и заморачиваться на эту тему не буду. Не хватало мне еще ему баб подбирать. Тьфу! С этим, я думаю, он и сам справится. Господи, до чего он меня довел...

Ира тоже заплакала. Так они и лили слезы. В шесть ручьев.

После того как Марта обнаружила свой платочек в сумке мужа, она совершенно успокоилась. Они с Мишей побывали в гостях у Земцова. Ездили за город на шашлыки, которые он обещал еще при их первой встрече, познакомились с мамой Алексея, нервной пожилой дамой, смотревшей на сына с немым обожанием. Шашлыки оказались на диво вкусными.

— Леша, в чем ваш секрет? — спросила Марта. — Миша тоже делает шашлыки, но...

— Ты хочешь сказать, что мои шашлыки хуже? — со смехом спросил Бобров.

— Именно, — засмеялась Марта. — Сам разве не чувствуешь?

— Да чувствую, чувствую... И впрямь лучше.

— Просто у меня есть одна киргизская травка, я добавляю ее в маринад. Вот и весь секрет. У меня друг живет в Бишкеке, Айрат. Он мне ее присылает. Я даже не знаю, как она называется. Если хочешь, Миша, я тебе ее отсыплю.

— Да ладно... Если я в год раз-другой пожарю шашлыки, их все равно съедят с восторгом, — отмахнулся Бобров.

А на обратном пути он вдруг заявил:

— Тебе Лешка нравится, да? Я вижу.

— Нравится, я не отрицаю. А тебя я просто люблю.

— Беда в том, что ты ему нравишься, да не просто нравишься, он влюблен в тебя по уши.

— Не выдумывай! Очередной приступ ревности?

— Нет. Констатация факта. В тебе, видимо, есть что-то, что врачует душевные раны бывших разведчиков.

— Вот еще! — фыркнула Марта, хотя ей было приятно это слышать. — Слушай, Миш, а давай познакомим Лешу с Гулькой? Одну мою подругу мы уже пристроили за твоего друга. Чем черт не шутит?

— Ох, боюсь, не выйдет. Она слишком эмансипе, твоя Гуля, и никакие душевные раны врачевать не сможет.

— А у вас у всех душевные раны? — спросила Марта и заплакала.

— Господи, как я люблю, когда ты плачешь, — засмеялся Бобров. — С любой другой женщиной я бы сошел с ума от раздражения, а тут...

Он остановил машину и начал целовать Марту.

— Плакса моя родная, ты же настоящее чудо! Другой такой нет. И Лешке Земцову тут ничего не светит, да?

— Мишка, ты дурак!

— Конечно, дурак дураком!

Прошла неделя. Все было тихо и мирно. Марта с Корнеем дважды выступили на корпоративах. Петр Петрович уехал в Кисловодск в санаторий. Ирина с ним не поехала.

— Пусть там проветрится, отдохнет, и я от него отдохну. Мне предлагают работу в пресс-центре МИДа, я с удовольствием. Правда, вакансия появится только через полтора месяца, там одна девушка уходит в декрет.

— Может, тебе тоже куда-то поехать отдохнуть? — спросила Марта.

— Да нет, мне дома лучше. И без Петьки. Я устала.

— Ну, может, Петька там подлечится, придет в себя?

— Может быть. Посмотрим.

Марта поехала на очередной плановый прием к доктору Пыжику.

— Привет, Марточка! Сегодня без мужа?

— Да, Саша, он зверски занят. А как Вика?

— О, если бы ты знала, как я тебе благодарен! Мне хорошо с ней, и она так мне помогает... Но это лирика. Как ты себя чувствуешь?

— Ну, субъективно хорошо.

— Обмороков не было?

— Ни разу!

— Ну, давай, ложись, будем проверять с объективной точки зрения.

— Ну что ж, — сказал доктор через полчаса, — в целом я доволен, но о поездках за рулем пока не может быть и речи, и о беременности пока тоже. Ты нервничала?

— Ну, а кто сейчас не нервничает?

— Меня в данный момент интересуешь ты. Тебе надо избегать лишней нервотрепки. По крайней мере стараться. И я выпишу тебе одно новое лекарство...

— Саша, мне что, стало хуже?

— Я бы не сказал, но если в начале улучшение шло в хорошем, даже очень хорошем темпе, то сейчас я за последний месяц улучшений практически не вижу. Меня это настораживает и огорчает.

— Саша, только не говори об этом Мише, пожалуйста!

— Нет, голубушка, не проси. Я обещал сообщать ему правдивую информацию. Тебе же это будет полезнее, пусть знает, что жену надо беречь. Вот тебе рецепты. И еще надо пройти курс капельниц.

— О господи! Это обязательно?

— Обязательно. Через день. Можешь приезжать сюда. Десять капельниц. А если найдешь медсестру, можно и на дому.

— Да нет, лучше буду сюда приезжать.

— Отлично. Ну, передавай привет Мишке. Хотя он наверняка будет мне звонить.

— Вике привет!

— Вот что, а давай-ка мы первую капельницу прямо сейчас сделаем. Чего время терять? Я сейчас позвоню.

Доктор Пыжик позвонил и договорился, что Марта прямо сейчас придет.

— Поднимись на третий этаж, кабинет 37.

Марта покорно поплелась в кабинет 37.

— Скажите, это много времени займет?

— Нет, сорок минут примерно, не беспокойтесь, — улыбнулась ей милая женщина средних лет.

Марта лежала под капельницей и думала: во всем виновата эта длинноногая стерва! Сколько крови она мне попортила, и, похоже, зря... Этот платочек в визитнице красноречивее всяких слов свидетельствует о том, что муж меня любит.

После капельницы Марта вдруг ощутила зверский голод и спустилась в маленькое кафе при клинике. Взяла чай и пирожок с яблоками. Он оказался таким вкусным, что она взяла еще один. Кроме нее в этот час посетителей не было. Марта сидела спиной к дверям. И вдруг услышала:

— Здравствуйте, Марта!

Она вздрогнула, оглянулась и подняла глаза. У ее столика стояла Софья, одна, без дочки. Выглядела она ужасно. Марте показалось, что Софья пьяна. И опять возникло неприятное тревожное чувство.

— Здравствуйте, — кивнула Марта.

Софья, не спросив разрешения, села напротив. Марте стало страшно.

— Мне нужно с вами поговорить!

— О чем? — пролепетала Марта.

— Вы знаете, кто я?

— Нет. Откуда же мне знать?

— А знаете, что со мной случилось?

— Послушайте, Софья, я ничего о вас не знаю и, честно говоря, не горю желанием узнать. Всего хорошего!

Марта вскочила, чтобы уйти. Но Софья вдруг прошипела:

— Сядьте! Немедленно сядьте на место!

— Да с какой стати?

— Я сказала, нам надо поговорить и мы поговорим.

— Вы сумасшедшая?

— Может, и так... Короче, я первая жена вашего мужа.

— Какого мужа? — опешила Марта.

— Михаила Боброва.

— Какая жена? Откуда?

— От верблюда! Я была его женой, но меня тогда звали Надеждой!

— Что? — позеленела Марта. — Но ведь вы...

— Он сказал вам, что я погибла, да? Но, как видите, я живехонька!

— Ничего не понимаю! Что все это значит? Зачем вы преследуете меня?

— Я вас не преследую, мне нужна была ваша помощь, но теперь уже поздно...

— Какая помощь?

— Вы знаете мою дочь?

— Но она не может быть дочерью Миши...

— А кто вам сказал, что это его дочь? У нас с ним, слава богу, не было детей. Мой муж, отец Марфы, он отнял ее у меня!

— О господи!

— Я хочу, чтобы Стив помог мне!

— Стив? Кто такой Стив?

— Так звали Михаила там, в Англии, а меня Софи...

Марта впервые за время разговора посмотрела в глаза этой женщины. Они горели безумием.

Она совершенно сумасшедшая, поняла Марта.

— Послушайте, какой помощи вы от него ждете?

— Сначала я хотела, чтобы он... удочерил Марфу, я специально подсылала ее к вам, чтобы она к вам привыкла, вы ей очень понравились... Я думала, вы сможете быть ей хорошей мамой... и сможете повлиять на Стива, вы с виду добрая, а он жестокий... Но все было бы понарошку... Для отца Марфы... А теперь вы должны помочь мне вернуть дочку...

— Послушайте, ваш план совершенно... нереальный! Как можно удочерить ребенка при живом отце? Ваш муж гражданин России?

— Он гражданин Норвегии!

— Тем более! Послушайте, Софья, вам нужно обратиться к хорошему адвокату, к омбутсмену...

Марте уже было жалко эту женщину.

— Они не помогут, я думала Стив поможет мне ее выкрасть...

— Да вы с ума сошли!

Женщина вдруг побагровела. И стукнула кулаком по столу, да так, что подскочил стакан с чаем.

— Не сметь! Не сметь! — каким-то страшным басом проговорила Софья. — Я не сумасшедшая! Этот номер у вас не пройдет!

— Успокойтесь ради бога! Я вовсе не имела в виду... Просто предположение, что Миша может выкрасть ребенка... Оно дикое, понимаете, дикое! А вы с ним-то говорили?

— Говорила, но о другом, хотела прощупать почву. Но тогда еще Марфа была со мной...

Между тем буфетчица, поняв, что происходит нечто как минимум странное, кого-то вызвала. Подошел мужчина в белом халате.

— Дамы, что тут у вас? — мягко осведомился он.

— Убирайтесь! — не своим голосом завопила Софья. — Не мешайте нам!

— Дело в том, что вы мешаете людям, здесь медицинское учреждение...

— Психушка, да? А ну, пусти, козел!

Софья вдруг сорвалась с места, отпихнула мужчину и выбежала вон. Марта осталась сидеть в полном ошалении.

— Извините, вам не нужна помощь? — обратился к ней мужчина. — С вами все в порядке? Вы знаете эту особу?

— Нет. Она явно нездорова...

— Это еще мягко сказано.

Он подошел к Марте и взял ее руку, чтобы пощупать пульс.

— О, это никуда не годится! Кто ваш лечащий врач?

— Доктор Пыжик!

— Кто?

— Ох, простите, доктор Алексахин. Но не нужно его тревожить. Я сейчас поеду домой.

— Вы за рулем?

— Нет, за руль меня не пускают. Вызову такси.

— Нет, доктор Алексахин меня не простит. — Он вытащил телефон. — Алло, Саша, спустись немедленно в буфет, тут твоя пациентка... Как ваша фамилия? Сокольская. Тут был инцидент... Мне кажется, ее нельзя сейчас отпускать. Он сию минуту спустится.

— Ну зачем вы? — поморщилась Марта.

Через три минуты доктор вбежал в кафе.

— Марта, что стряслось? У тебя ужасный вид. Тебе сделали капельницу?

— Да, Саша, все сделали, просто тут ко мне пристала какая-то сумасшедшая. Я уже в порядке. Но меня не пускают...

— И правильно делают. Спасибо, Юра! Пойдем, тебе надо полежать, через десять минут должна подойти Вика, она с тобой побудет и потом доставит до дома. И не возражай!

— Ладно, раз Вика придет, я согласна. Мы давно не виделись...

Доктор Пыжик отвел Марту в какую-то комнату, уложил на диван и сделал укол.

— Лежи спокойно и не вздумай дергаться.

— Саша, только не звони Мише, не нужно этого...

— Он мне сам уже позвонил, я сказал ему все, что знал на тот момент.

— Вот и хватит с него.

Тут в комнату заглянула Вика.

— Саш, я пришла... Ой, Марта, это ты? Что-то случилось?

— Ну, что случилось, Марта, надеюсь, тебе расскажет. Побудь с ней, ей надо хотя бы полчаса полежать. Ну, пока, девочки, я к вам еще загляну.

— Марточка, милая, что-то стряслось? Что-то плохое?

— Не плохое, а ужасное! Помнишь, я говорила тебе, что первая Мишина жена погибла в Англии?

— Ну?

— Он до сих пор ни разу словом о ней не обмолвился...

— Ну, может, это гостайна!

— О которой знает его тетка?

— И что?

— А то, что эта жена живехонька! И она совершенно сумасшедшая... Помнишь, в Венском кафе женщину с девочкой? Так это она!

И Марта рассказала Вике все, что сегодня произошло.

— Марта, милая, я смотрю, ты даже не заплакала!

— Вика, я не знаю, что и думать... Как быть... Я уже изнемогаю под этим грузом!

— Каким грузом? — не поняла Вика.

— Под грузом тайн. Я не умею! Я все-все держу в себе, ему хорошо, он привык. У него это въелось уже в плоть и кровь, а я не привыкла... Я все время делаю хорошую мину при плохой игре, боюсь затронуть какую-то больную для него тему, берегу его. Но это все ерунда, пустяки по сравнению с этим... И ведь я опять ничего ему не скажу!

— А может, уже надо сказать?

— Нет! Я не смогу.

— А я знаю, что делать!

— И что?

— Рассказать обо всем мне.

— Тебе?

— Да! Ты же знаешь, я умею хранить тайны, а в тот единственный раз, когда я выдала твою тайну, это пошло только на пользу всем.

— Ты имеешь в виду...

— Историю с Горшениным, Марточка, ты вспомни, сколько лет мы все рассказывали друг дружке. Ты, может, подумала, что раз я теперь с Пыжиком, так мне уже не до тебя?

— Ну...

— Марта, ты же умная! Пусть мы теперь не созваниваемся по пять раз в день, как раньше, это вовсе не значит, что мы стали чужими. И поверь, я ни слова не скажу Пыжику, хотя он умеет хранить врачебные тайны, а значит, и тайны вообще...

Вот тут Марта заплакала. Вика обрадовалась.

— Ну слава богу, а то я уж испугалась... — ласково улыбнулась Вика. — Саша мне велел отвезти тебя домой. Вот дома ты мне все расскажешь, все, что наболело.

— Вика... Прости меня!

— Да не за что мне тебя прощать.

— Знаешь, Саша велел мне через день ездить сюда на капельницы.

— Ну, раз велел, будешь ездить.

— Буду, да, — кивнула Марта. — И спасибо тебе...

— Нелегко быть женой шпиона?

— Нелегко... Но я все равно... люблю его больше жизни. А ты правда готова выслушать все те глупости, что у меня в башке накопились?

— А то мало мы с тобой глупостей друг от друга наслушались?

— Это правда, — улыбнулась Марта.

— Девочки, ну как вы тут? — заглянул к ним доктор Пыжик. — О, я смотрю, Марта уже улыбается, а улыбка Марты это своего рода феномен. Викуша, заказывай такси, я бы и сам вас отвез, но у меня еще пациенты. Марта, не вздумай раскисать от какой-то ненормальной...

— Ладно, не буду!

Когда Бобров вернулся домой, Вика уже давно ушла. Марта сидела на диване, завернувшись в плед, и смотрела куда-то в сторону от включенного телевизора. Она не выбежала к нему навстречу, как обычно, если не спала.

— Маленькая, ты чего?

Она словно стряхнула с себя оцепенение.

— Миша... Ты голодный?

— Нет. А что с тобой? Тебе нездоровится?

— Нет, просто задумалась...

— Я звонил Сашке, он сказал, что тебе стало хуже...

— Нет, не хуже, просто... не стало лучше.

Он сел рядом с ней.

— Маленькая, что-то случилось? Почему в глазах такая мука? Я в чем-то виноват?

— Ты? Нет. Я же знала, за кого выхожу замуж.

— Постой, ты о чем?

— Да нет... ни о чем, просто расстроилась, опять эти капельницы... И ребенка нельзя... Я спросила у Саши, что может случиться, если...

ребенок... А он сказал такую страшную вещь... что может быть инсульт... я как представила себе этот ужас... ребенок, а я с инсультом... в параличе...

— Замолчи сейчас же. И не смей даже думать о таких вещах! Мы еще успеем с ребенком!

Марта не лукавила. Доктор Алексахин и в самом деле сказал ей это, но не сегодня, а в прошлый раз. Она тогда об этом промолчала, а сегодня сочла за благо сказать, чтобы не говорить о встрече с его бывшей женой.

Он принялся утешать ее, а он это умел, и в конце концов она уснула, прижавшись к нему, успокоенная и разнеженная. Но ночью она вдруг проснулась как от толчка. Бобров спал. И вдруг Марта поняла: я должна, я обязана сказать ему про Софью-Надежду. А вдруг он не в курсе, а она может причинить ему какие-то неприятности, она вообще может быть опасна. И Марта решилась.

— Миша, Мишенька, проснись!

— А? Что? — вскинулся он. — Что случилось?

— Миша, прости, что разбудила, но я больше не могу, я должна сказать тебе...

— Сказать? Что-то случилось?

— Да, Миша, ты прости... я не знала, говорить ли, и вдруг поняла, что надо сказать. Это может быть опасно...

— Опасно?

Сна как не бывало. Он сел в постели, протер глаза.

— Да, Миша, помнишь, я рассказывала тебе про женщину с ребенком, которую случайно встретила, ты еще тогда надо мной посмеялся?

— Нет, если честно. Хотя, постой, ты говорила, что это у тебя от безделья крыша едет, да?

— Да.

— И что?

— А знаешь, кто была эта женщина?

Он похолодел.

— И кто же?

— Твоя первая жена.

— Так я и думал...

— Значит, ты знал, что она жива?

— Разумеется, знал.

— А я вот не знала даже, что она вообще когда-то была. Мне Миля по секрету сказала.

— И ты ни разу ни о чем меня не спросила... Поверь, я это ценю. Очень. А теперь послушай, я все тебе скажу. Чтобы не было недоразумений. Да, я был женат, и мы вместе уехали из России с определенным заданием. И хотя мы проходили всякие тесты на совместимость и вообще кучу проверок, через два года мы поняли, что нам плохо вместе, я бы потерпел, но она начала чудить. В ней сильна была авантюрная жилка, один раз это ее свойство принесло нам удачу, а второй едва не стоил мне жизни. Я дал понять наверх, что нам лучше не работать вместе, и меня услышали. Ее смерть была инсценирована, и настолько удачно, что эта история даже не всплыла, когда меня арестовали. Ее перевели в другую страну, и я больше о ней не слышал. И вдруг она возникла, месяца два назад, и вела себя так, что я вынужден был обратиться к Матвееву. Он сказал, что она... не вполне адекватна, я это и сам заметил. С тех пор я ее больше не видел. Подозреваю только, что это она прислала мне твои фотографии с Лешкой. А что, она опять возникла?

— Да, Стив, возникла.

— Что? Как ты меня назвала?

— Стив. А что, разве не так тебя звали там?

— Так. И это уже не тайна. Но я просто не люблю возвращаться в то время. Это она тебе сказала?

— Да!

И Марта поведала мужу, что произошло сегодня в клинике.

— Так! Значит, она тебя выслеживает...

— Миша, у нее отняли ребенка!

— Начнем с того, что это вполне может быть плодом ее больной фантазии. Вряд ли наш человек, а ее муж как мне стало известно, наш человек, так вот, вряд ли он стал бы привлекать к себе внимание. У нее здесь мать и сестра, может быть, они, видя все, что творится, забрали девочку к себе... Скорее всего, именно так. Хотя погоди... Мне же Матвеев сказал, что ее мужа убили, и как-то очень жестоко, вот она и помешалась.

Марта заплакала.

— Как ужасно, какая жуткая профессия! Мишенька, какое счастье, что ты уже не шпион!

— Ладно, ладно, маленькая, успокойся, я с тобой, мы нашли друг друга, нам хорошо вместе, а прошлое... что ж поделать, оно иногда вторгается в нашу жизнь.

— Ох, Миша, она такая неприятная, но мне ее ужасно жалко. Значит, у нее была неустойчивая психика... А как могли такую взять в шпионки?

— Понимаешь, психика мудреная штука. Иной раз вроде бы неустойчивый психически человек являет чудеса стойкости и наоборот, вроде бы железный товарищ, а дает слабину. Все люди, все человеки, даже разведчики. А теперь спи!

— Миша, а что с ней теперь будет?

— Откуда я знаю? Думаю, если еще устроит подобную сцену в публичном месте, ее могут госпитализировать...

— В психушку?

— Ну а куда? Не в роддом же! — раздраженно бросил Бобров.

— Миша, как ты можешь!

— А как ты думаешь? Если бы ее сегодня не остановили, кто знает, что еще она могла бы выкинуть? Она опасна! Она владеет всякими приемами, могла вообще схватить нож в этом буфете... Мало ли... И вообще, пока я не узнаю, что она изолирована, будешь ездить не на такси, а с Анатолием. Я утром позвоню ему и договорюсь.

— Миша!

— Ничего не Миша! Я не хочу подвергать тебя опасности. И никаких возражений.

— Ну хорошо, хорошо. Миша, послушай, а если она попадет в психушку?

— Попадет, скорее всего.

— А что будет с ребенком?

— У нее есть мать и сестра. Не пропадет ребенок.

— Девочка такая хорошенькая, рыженькая, в веснушках.

— Так! И что, сейчас последует предложение взять ее к нам, да?

— Ну, я подумала...

— Марта, окстись! Об этом не может быть и речи, — очень жестко проговорил Бобров. — Ребенок не игрушка. Мать Надежды еще не старая и более чем разумная женщина. Сестра ее одинокая, они прекрасно сумеют позаботиться о ребенке. Да и Надю вылечат или хотя бы подлечат и что будет? Хоть ты с ума-то не сходи...

Бобров никогда еще не говорил с Мартой так жестко и непререкаемо. Она, конечно же, заплакала.

— Ну, пореви, пореви, дело хорошее, может, со слезами дурь-то и выйдет. И еще — пойми, я люблю тебя и готов потакать многим твоим прихотям, но совершенно не готов стать отцом ее дочери. Да, именно так, категорически не готов! И вообще не желаю иметь с ней ничего общего, можешь ты это понять?

Марта смотрела на него с испугом. Ему стало жаль ее. Он привлек ее к себе, поцеловал в макушку. Запах ее волос успокоил его.

— Ну все, все, понимаю, ты хочешь ребенка, и я хочу, давно хочу, но своего. И он у нас будет. Как только Пыжик позволит... Ты добрая, даже иной раз чересчур.

— Миша, скажи, а что между вами было не так?

— Да практически все.

— И секс?

— Прежде всего секс, — усмехнулся он. — Но мы не будем об этом говорить. Я не хочу.

— Ладно, я все поняла.

— А вот с тобой этой проблемы нет, — засмеялся он. — С тобой вообще почти нет проблем, только с твоим здоровьем. Но это поправимо. Все. Спи, маленькая.

Ночной разговор принес облегчение. Хоть одну тайну удалось сбросить с плеч.

Скоро весна...

Время шло. Дело близилось к весне. Позвонила Гуля.

— Мартышка, привет! Как дела?

— Да ничего, нормально. А ты как?

— Знаешь, я встретила в Кисловодске твоего брата.

— А что ты делала в Кисловодске?

— Навещала родственников. Слушай, я его с трудом узнала. Он так изменился...

В голосе Гули звучало разочарование.

— Светлый образ померк? — усмехнулась Марта.

— Окончательно и бесповоротно. Я подошла к нему, напомнила о себе, он сделал вид, что вспомнил, но явно просто из вежливости. И пригласил поужинать. Тогда еще образ не померк, и я обрадовалась, пошла. И вот за ужином образ померк. Он стал желчный, недобрый... А когда-то был таким очаровательным... А в конце ужина он вдруг предложил пойти в гостиницу. Когда-то я об этом мечтала, а тут отказалась.

— Почему?

— Тон был уж очень... я бы даже сказала хамский. А хамства я не терплю.

— Господи, Гулька, хамом Петька никогда не был. Он, вероятно, напился?

— Не сказала бы, пил умеренно. Но, короче, это другой человек. И мне даже стало легче. Я как будто освободилась.

— С ума сойти!

— Знаешь, я потом прокручивала в уме весь разговор. Он был, пожалуй, даже пошлым. Вот уж чего я от него не ожидала, так это пошлости. Ну, я сказала тебе то, что накипело. А теперь к делу. Скажи, вы с Корнеем не хотели бы попробовать себя на телевидении?

— Как? — опешила Марта.

— Понимаешь, создается новый дециметровый канал, там ищут ведущих музыкальных программ...

— Музыкальных?

— Да.

— Ну, я не знаю...

— Мартышка, не глупи, знаю — не знаю, надо попробоваться.

— Но конкретнее что-то можешь сказать?

— Могу! Завтра в три часа вам надо быть на канале. Адрес я тебе скину эсэмэской, иметь при себе паспорта и сказать, что вы к Баженову.

— Кто такой?

— Генпродюсер. Он на вас посмотрит, попробует. Я ничего не обещаю, просто я замолвила ему словечко, он пошукал в Интернете, послушал пару ваших программ и сказал, надо посмотреть. Это все.

— А он...

— Он возник сразу после того, как померк светлый образ, — засмеялась Гуля, — прямо там, в Кисловодске. Он там печень лечил.

— И вылечил? — со смехом спросила Марта.

— Похоже да, но с моей помощью. Короче, подруга, звони своему Корнею, а потом перезвони мне.

— Хорошо!

Марта набрала Корнею.

— Мартуся, ты соскучилась?

— Корнюш, у меня деловой разговор. Нам с тобой предлагают попробоваться на телевидении.

— Шутишь?

— Какие шутки!

И Марта ввела его в курс дела.

— Ну что ж, это шанс, а упускать шансы грешно, хотя я лично слабо верю, что нас возьмут. Одно дело голоса, и другое внешность. Черт знает, что им там надо. Но попробовать все равно следует. Тогда я заеду за тобой в половине второго?

— Идет!

— А твой шпион возражать не будет?

— А я пока ничего ему говорить не буду. Если не выйдет, зачем зря напрягать его и себя?

— Мудреешь, Мартуся! Ну, до завтра!

Марта пребывала в растерянности. То ли радоваться заманчивому предложению, то ли огорчаться из-за брата. Чтобы про ее любимого Петьку сказали, что он хам и пошляк? Абсурд! Но почему-то она поверила Гуле. Неужели человек может так измениться? Невероятно!

Корней заехал за Мартой.

— Волнуешься, Мартуся?

— Даже не знаю. Есть немного. А ты?

— Видишь ли, я как-то не верю, что нас возьмут. Просто считаю, что всякий, даже крохотный шанс, надо использовать, что называется, для очистки совести. Вполне возможно, что возьмут только тебя, ты такая милая, так умеешь улыбаться...

— Да ну... Одна я не соглашусь!

— Это еще почему? Из солидарности, что ли? Так это, извини, чепуха!

— Ничего не чепуха!

— Ты слишком хорошая, Мартуся!

— Слушай, зачем мы сейчас будем это обсуждать? Глупо. Может, они на нас посмотрят и скажут: катитесь вы колбаской по Малой Спасской!

— Вот, это правильный настрой. Слишком большие ожидания вредят здоровью.

Они припарковались в обширном дворе, у здания какой-то бывшей фабрики. На проходной у них потребовали паспорта, сверились с длиннющим списком.

— Ждите, за вами придут.

Минут через десять за ними действительно пришли и какими-то захламленными коридорами, лестницами, переходами куда-то повели. Марта вдруг начала страшно волноваться. И взяла Корнея за руку. Он ласково пожал ее руку. Держись, мол! Похоже, он и сам начал волноваться. Наконец их ввели в небольшую комнату, заваленную дисками, кассетами ВХС, давно уже вышедшими из употребления, журналами и виниловыми пластинками.

— Да, бардак еще тот! — проговорил Корней.

Дверь распахнулась. На пороге стоял мужчина лет сорока, высокий, крепкий, с каким-то настороженным выражением лица.

— Добрый день, господа. Вы, как я понимаю, Корней и Марта? А я Баженов, Виталий Витальевич. Ну что ж, поговорим? У нас, как вы уже знаете, создается новый канал. Канал «Позитив». Негатива в нашем мире накопилось столько, что мы надеемся привлечь зрителей именно сугубо позитивным настроем. Никакой политики, никаких страшилок. Ну, вы понимаете, вы ведь работали на радио «Солнце». Я послушал ваш дуэт, это, собственно, именно то, что мы ищем. У вас отличные голоса, да и внешность тоже вполне пригодная для телевидения. Надо, конечно, попробовать, как к вам отнесется камера. Это важно!

— Простите, Виталий Витальевич, — начала Марта.

— Да, слушаю вас!

— Мне сказали... Гуля сказала, что речь идет о музыкальных программах...

— Да. Вас что-то смущает?

— Собственно, нет, просто хотелось бы понять...

— Знаете что, давайте сейчас пройдем в студию, там вас попробуем с камерой, с микрофоном, а потом уж поговорим более предметно.

Они опять шли длинными коридорами, наконец вошли в темное помещение.

— Осторожнее, смотрите под ноги, — предупредил Баженов.

Корней взял Марту под руку. Они перешагивали через бесчисленные провода и вдруг оказались в красивой уютной студии. Она являла собой оазис в пустыне производственной неразберихи.

— Сядьте вот тут, вас сейчас загримируют, у нас еще гримерка не оборудована.

И тут же к ним подскочили две девушки не первой молодости и принялись колдовать над их лицами.

— Ой, а взглянуть-то на себя можно? — взмолилась Марта.

— Я дам вам зеркало, когда закончу! — сурово ответствовала гримерша.

— Ух ты! — вырвалось у Марты, когда она увидела себя в зеркале.

Суровая гримерша оказалась мастером своего дела.

— Мартуся, ты такая красавица, обалдеть!

Корней тоже выглядел отлично. Грим подчеркнул все достоинства его очень мужского лица.

— Отлично смотритесь в паре!

Баженов между тем куда-то исчез. Появился толстый замотанный мужчина в потрепанном бархатном пиджаке.

— Так, сейчас сядьте за столик, улыбайтесь, как будто уже попали в рай, и приветствуйте ваших любимых зрителей! Валера, готов?

— Готов! — донесся голос невидимого оператора.

— Я начну, — шепнул Корней. — Здравствуйте, дорогие телезрители. Приветствуем вас на канале «Позитив»! В студии Корней и Марта! Может быть, вам знакомы наши голоса, ведь мы много лет работали на радио «Солнце», а вот теперь мы здесь!

И он слегка ущипнул оробевшую вдруг Марту.

— Вот, дорогие телезрители, теперь у вас есть отдушина, канал, где вы сможете отдохнуть от всего того, что утяжеляет и омрачает вашу жизнь! Утро с каналом «Позитив» и ваше настроение исправится, мрачные мысли уйдут и вам станет легче дышать. И завтра вечером, придя домой, вы непременно подумаете: «А включу-ка я "Позитив"!»

— Все, достаточно! — появился откуда-то Баженов. — Неплохо, очень неплохо! Чувствуется, что вы давно сработались, а это важно. Не потребуется время на притирку. Короче, я вас беру! Поскольку я тут самый главный, и концепция тоже моя, а вы в эту концепцию идеально вписываетесь, то смело заявляю: я вас беру! Как вы понимаете, в эфир мы выйдем не раньше чем через два месяца, писать программы начнем через месяц, и не думайте, что наутро проснетесь знаменитыми. Пока зона покрытия у нашего канала будет небольшая, но со временем... В понедельник прошу быть здесь уже с трудовыми книжками, я должен вас привязать, а то знаю я вашего брата, предложат что-то поинтереснее и вы меня кинете. Зарплату обговорим в понедельник.

— Виталий Витальевич, — начал Корней, — хочу заранее предупредить, чтобы потом не было недоразумений... Мы с Мартой сейчас зарабатываем корпоративами. И хотели бы сохранить эту возможность и в дальнейшем, разумеется, не в ущерб основной работе.

— Да знаю я про ваши корпоративы, даже был на одном, я не буду возражать, но поставлю одно условие: чтобы вас там заявляли как ведущих телеканала «Позитив».

— Отлично! Нет проблем! — обрадовался Корней.

— Ну что, по рукам?

— По рукам!

— Вас сейчас проводят, а то чего доброго заблудитесь. И в понедельник к одиннадцати утра я вас жду! Антон, проводи!

Появился молодой парень очень хмурого вида, с каким-то по-стариковски брюзгливым выражением лица.

— Антоша, проводи людей к выходу!

— Пошлите! — сказал он.

Марта даже не сразу поняла, что это множественное число от слова «пошли!».

— Ну пошлите, — засмеялась она.

— И чего смеяться, ходишь тут взад-назад, устаешь, как двадцать четыре пёса, а им все хаханьки!

Наконец они вышли на улицу. Переглянулись.

— Кажется, выгорело, Мартуся!

— Да! Хотя я устала как двадцать четыре пёса!

И оба начали хохотать.

Не успели они отъехать, как Марте позвонила Гуля.

— Мартышка, поздравляю! Виталик сказал, что он даже мечтать не смел о такой профессиональной паре и, «совершенно в моем ключе», как он выразился! Поздравляю!

— Гулька, спасибо тебе огромное! И Корней вот тоже низко кланяется!

— Дай вам бог удачи, ребята!

Дневник

Ума не приложу, что мне теперь делать? Сказать Мише или нет? По-прежнему молчать в тряпочку или все-таки сказать? Наверное, надо сказать, подготовить его... Он, конечно, сначала рассердится. Хотя кто знает, он человек не слишком предсказуемый. Нет, все-таки скажу!

Если честно, я просто счастлива, что опять буду работать. Не в состоянии я быть просто домохозяйкой, не по мне это. И у меня просто не будет времени на всякие подозрения, страхи и сомнения. Баженов сказал, что зона покрытия поначалу будет небольшая, ну и слава богу, я вовсе не стремлюсь к бешеной телевизионной популярности, а то вот на прошлой неделе мы с Мишкой обедали в ресторане, так к нему подошла какая-то женщина и сказала, что в полном восторге от его выступлений на телевидении. А его шпионскую душу это смутило! Как говорят телевизионщики, «мордальное узнавание» ему в тягость. А мне это зачем? Но работа интересная. И с Корнюшей работать легко и приятно.

— Маленькая, ты хочешь мне что-то сказать? Чего так сияешь?

— Мишенька, нам с Корнеем предложили работу!

— Да? И какую же? На радио?

— Подымай выше! На телевидении!

И Марта рассказала мужу все, что случилось.

— Я вижу, ты ликуешь! Я рад. Меньше времени будет на всякие дурацкие идеи. Говоришь, съемки начнутся через месяц?

— Да.

— Хорошо бы тебе съездить куда-то к морю, отдохнуть, набраться сил.

— Мишка! — просияла Марта. — С тобой?

— Со мной не выйдет. Не смогу выбраться сейчас. Может, с Викой, а?

— Хорошо бы с Викой, но...

— А я сейчас позвоню Сашке! Алло, Пыжик! Слушай, тебе не кажется, что стоило бы наших красавиц отправить куда-нибудь к морю недельки на две, а? Марте предложили работу, не мешало бы ей силенок поднабраться, а?

— Не мешало бы, конечно, только куда их отправить? Где сейчас достаточно тепло, но не слишком жарко, а? — живо заинтересовался доктор Алексахин.

— Можно на Канары. Там круглый год хорошо, и не слишком жарко.

— Мне Викуша намекала, что хотела бы к морю, но я сейчас никак не смогу. А вдвоем с Мартой... это будет здорово! Вот что, Мишка, Викуша сейчас в театре, как вернется, мы вам позвоним.

— Отлично, а отель и билеты я возьму на себя.

— Миш, ты погоди, до понедельника ничего не предпринимай, вдруг что-то не сладится с работой... — сказала Марта.

— Ну не сладится, переживем. Но отдохнуть тебе не помешает.

— Миш, тебе так хочется спровадить меня из Москвы?

— Ну конечно, мы с Пыжиком решили спровадить наших баб, а сами будем тут устраивать оргии! — засмеялся Бобров. — Какие же вы, бабы, примитивные! Ужас просто!

Сейчас заплачет, подумал Бобров. Марта и вправду заплакала. И почему меня это не раздражает? Потому что люблю ее...

А через час позвонила Вика.

— Марта, как здорово! Полетим с тобой и будем купаться, купаться в океане, там такой кайф. Ты же помнишь, я была на Тенерифе, это вообще рай земной! Мне как Саша сказал, я обрадовалась без ума!

— Да, с тобой я хоть на край света, ты же знаешь! Миша берется все нам заказать и отель, и билеты...

— Это хорошо, только скажи ему, чтобы отель заказывал именно в Лас Америкас, там хорошо и я там все знаю.

И как я не сообразила замолвить словечко Баженову за Вику? Вдруг ему нужен опытный редактор? В понедельник непременно спрошу... Хотя она с таким рвением занялась делами Пыжика...

И Марта сразу перезвонила подруге.

— Скажи, Вика, а ты бы хотела работать на телевидении? Может, им там нужны редакторы?

— Знаешь, нет!

— Как?

— Ты пойми, эта работа... она ведь забирает человека целиком. А я не хочу! Устала. Мне хорошо сейчас вместе с Сашей... И он нуждается в моей помощи. Нет, хватит с меня средств массовой информации! Сыта! Но тебя я понимаю, у тебя другая ситуация. И желаю тебе всяческих успехов на этом поприще. А на Канары с восторгом! Вот и весь сказ! Только вот Саша говорит, что не раньше, чем сделаешь последнюю капельницу.

— Так мне осталось всего три! И раньше чем через десять дней я всяко не смогу лететь.

В субботу Бобров вдруг сказал:

— Вот что, маленькая, давай-ка достанем твои летние тряпочки и поглядим. По-моему, у тебя с туалетами не густо.

— Мишка, брось, у меня полно шмотья! И потом, где сейчас брать летние тряпки? Не сезон!

— А что у тебя с купальниками?

— Миш, ты чего?

— Ну, я хочу посмотреть, как будет выглядеть моя жена на океанском пляже.

— Мишка, ты ненормальный!

— Да нормальный я. Давай, давай, не ленись!

— Ну, тогда достань с антресолей мой чемодан.

Бобров достал чемодан.

— Ну и что это за чемодан? Стыд и срам! Полетишь с моим.

У Марты было всего два купальника, оба цельные, один черный с голубыми рыбками, а второй синий, без рисунка.

— Ну, синий годится, а этот с рыбками только в помойку!

— Ну почему? Он хорошенький!

— Ты его на каком рынке покупала? Нет, надо купить два новых, по последней моде. Завтра поедем и купим!

— Ну, ты даешь!

Из платьев два он просто порвал в клочья, правда, Марта их уже давно не носила.

— Завтра с утра мотанем к Миле, побудем часок и поедем снаряжать тебя на Юга! А сумка пляжная у тебя есть?

— Я там куплю...

— Нет уж, я погляжу сам.

— Мишка, я тебя обожаю! — засмеялась Марта. Ей было приятно, что муж так заботится о ее внешнем виде.

— Да, кстати, если на Тенерифе вздумаешь что-то себе купить, присылай мне фотки.

— А если я захочу купить себе тапочки или пляжные шлепки?

— Ладно, это можно без моих консультаций, — засмеялся Бобров.

Мысль о купании в теплом Атлантическом океане, о солнечных днях, о прогулках вдвоем с Викой бесконечно радовала Марту.

— Маленькая, вам два номера заказывать? — спросил Бобров.

— С ума сошел? Зачем? Конечно, один!

— А вы уже отдыхали вместе где-то?

— Сколько раз!

— То есть конфликтов не будет?

— Нет, конечно! Смешно просто!

— Вот и хорошо!

И вот наконец настал день отлета. Они летели в воскресенье. Мужья поехали их провожать.

— Бобер, ты глянь, как они сияют, наши девчонки!

— Ну еще бы! Две недели не видеть наши с тобой морды, ничего не готовить и перемывать нам косточки — сплошной кайф!

— А вы думали! — засмеялась Вика. — Все именно так и будет! И еще будем ходить на дискотеки, таскаться по магазинчикам. Но, главное, мы поедем в гости к лемурам! Это вообще улет! — ликовала Вика.

— Санька, а ты проинструктировал Марту, как ей там себя вести? — озабоченно спросил Бобров.

— Зачем? Я проинструктировал Вику! И если Марта вдруг захотела бы забыть мои наставления, то Вика уж точно не позволит ей. Вика человек надежный, не сомневайся!

— Да уж, — вздохнула Марта, — от Вики поблажек не дождешься!

Наконец они расцеловались с мужьями и те ушли.

— Ох, Марта, как хорошо иногда вырваться из семейного рая!

— Да, наверное... Я вообще люблю отдыхать на острове, там чувствуешь какую-то отдельность от остального мира, и это успокаивает. Правда, я еще ни разу так надолго не расставалась с Мишей...

— Так же, как и я с Сашей. Думаю, они сейчас закатятся куда-нибудь вдвоем, выпьют хорошенько, нам косточки перемоют...

— Нет, Мишка не будет. То есть выпить-то он выпьет, с большим удовольствием, а вот меня обсуждать не будет.

— Ну да, он же шпион! Вот что, у нас до рейса еще полтора часа, пошли в Ирландский бар.

Возьмем по пятьдесят грамм виски и бутерброд с ростбифом. Ты как?

— Да с удовольствием, тем более что я предвидела это предложение! Я ж тебя знаю!

Женщины ошиблись. Бобров с Пыжиком не стали выпивать вдвоем, Бобров довез Пыжика до клиники, тот решил поработать на свободе, а сам поехал домой. Тоже поработать, тем более что Марта приготовила ему обед на три дня.

Как странно, думал Бобров, я почему-то чувствую облегчение. Казалось, я не могу без нее жить... Да и вправду не могу, но, видимо, надо иногда расставаться. Я устал. Не от нее, нет, от своей суматошной жизни и, пожалуй, от чувства вины за эту жизнь. От ее немого укора. Вероятно, если бы укор не был немым, мне легче было бы с ним справиться. Я наверняка ужасно соскучусь по моей маленькой, с ума сойду от тоски, но это потом... через некоторое время... А сейчас я даже рад ее отсутствию. И хорошо, что она будет работать. Надо, наверное, поискать домработницу, избавить Марту от домашней поденщины. Да, это правильная мысль! У нее слабое здоровье. И вообще я люблю ее, я готов сделать для нее все, что угодно, но сейчас мне хорошо одному! Зазвонил домашний телефон.

— Алло!

— Привет!

Бобров узнал голос Петровича.

— Привет!

— Узнал?

— Узнал.

— А что у Марты опять с телефоном?

— Просто выключен. Она же в самолете!

— В каком еще самолете?

— В аэробусе, кажется.

— И куда она летит?

— На Тенерифе!

— Зачем?

— Отдыхать!

— От чего это ей отдыхать! И разве ей можно летать на самолете?

— Доктор ей разрешил. Она летит с Викой.

— А почему она мне ничего не сказала?

— Понятия не имею! Она сказала Ире, это я знаю точно.

— Да? Мне никто ничего не говорит. Ну а ты чего? По бабам пойдешь?

— Непременно! Слушай, Петрович, наш брак с твоей сестрой уже непреложный факт. Я люблю

ее, может, скажешь уже, что ты против меня имеешь, а? Может, стоит уже смириться?

— Да ничего, в сущности, я против тебя не
имею. Живите вы все как хотите, я просто чувствую себя старым, измотанным и никому не нуж-
ным. Вот и вся недолга. Ладно, бывай!

— Постой, Петрович! Может, встретимся, поговорим, выпьем, вдруг полегчает?

— Да не полегчает...

— А вдруг? Чем черт не шутит?

— Ты это серьезно?

— Более чем.

— Что ж, спасибо! — голос Сокольского смяг-
чился. — Сейчас не могу, но буду иметь это в виду.
Я тронут. Бывай!

Он отключился. Боброву было его искренне
жаль. Хотя он слабак, Сокольский...

Тенерифе

Океан был прекрасен и спокоен. Подруги при-
летели ночью и, едва устроившись в отеле, уснули.
Вика только успела сделать Марте укол, предпи-
санный доктором Пыжиком после перелета. А утром... Солнце еще медленно поднималось над океаном, краски еще не ожили, но было тихо и напоен-
ный какими-то цветочными ароматами воздух
прочищал легкие.

— Марта, иди сюда! — позвала ее с балкона
Вика. — Глянь, какая красота!

— Погоди, только отправлю Мишке сообщение. Ага! — и она выбежала на балкон.

В этот момент солнце вдруг залило все вокруг,
все краски словно очнулись. Океан стал сине-зе-
леным, вся природа ожила.

— Боже, Вика! Неужели вчера мы еще были
в нашей слякотной Москве!

Подруги обнялись.

— Значит так! Сейчас мы идем завтракать, потом полчаса гуляем вдоль океана, а потом — на пляж!

— Согласна! Я на все согласна! И ужасно хочу есть!

Они спустились в ресторан, нашли столик на свежем воздухе и принялись таскать всякую снедь со шведского стола. У обеих горели глаза.

— Ох, какие бабоньки приехали! — воскликнул один из группки русских туристов. — Одна блондиночка, другая брюнеточка, просто конфетки!

— Марта, ты какая конфетка? — шепотом спросила Вика.

— Я — определенно «коровка», или нет, сливочная помадка, а ты, конечно же, шоколадная... Ох, как тут все вкусно, прелесть просто. И ничего готовить не надо.

— И так две недели!

Совершив после завтрака небольшую прогулку вдоль океана, подруги побежали в номер надеть купальники.

— О, у тебя новый купальник! Краси-и-ивый!

— Представляешь, Мишка заставил меня купить два новых купальника! И спросил, на каком рынке я купила тот, с рыбками.

— Надо же!

Новый купальник был темно-вишневый с причудливой драпировкой на груди.

— Тебе так идет... Да, а у тебя есть головной убор?

— Господи, зачем?

— Пыжик велел! Сказал, чтобы ты не смела ходить по солнцу без головного убора!

— Ох, грехи наши тяжкие! Ничего, купим сейчас какую-нибудь шляпенцию.

— Да, не проблема!

— Вика, а что там еще Пыжик запрещает?

— Ничего страшного! Нельзя пить вино, нельзя долго жариться на солнце, нельзя вообще переутомляться. И нельзя пропускать прием лекарств. Только и всего! И еще нельзя принимать контрастный душ!

— Да я сроду его не принимаю! Ладно, хватит о медицине, я сыта ею по горло! Пошли на пляж!

В отеле было три бассейна, и все они были буквально оккупированы в основном немцами.

А на пляже были преимущественно русские.

— Вика, ты можешь мне объяснить, какого черта надо ехать на океан, чтобы торчать в бассейне?

— Запросто! Страховки травмы на море не учитывают!

— А наши на это плюют?

— Естественно! И мы ведь тоже плюем!

— Ага! Плюем! Ой, какая вода теплая, господи, блаженство какое! Ну что? Баба сеяла горох?

— Конечно, сеяла!

Они плескались, прыгали, брызгались и визжали, как маленькие.

— Я люблю твоего Боброва! Это ж его идея, да?

— Конечно! Вик, а пребывание в воде твой Пыжик не ограничивал?

— Нет! Купайся хоть до посинения!

После пляжа они пошли в отель, но не поднялись в номер, а плюхнулись в шезлонги в саду, в тени буггенвиллий.

— Завтра поедем к лемурам! — заявила Вика.

— О, я с восторгом! А куда тут еще надо съездить?

— Ну, все обычно ездят в Лора-парк.

— А там что?

— Радости для туристов. Там их толпы, мы туда не поедем. Понимаешь, к лемурам толпы не ездят. Ты об этом нигде не найдешь информацию.

— А как же?

— Если туда начнут автобусами возить туристов, зверюшки и помереть могут. Я сама случайно узнала.

— А на чем туда ехать?

— На такси.

— Класс!

— И надо купить бананов! Побольше! Еще съездим в соседний Лос Христианос, очаровательный городишко, и там есть один уличный ресторанчик, где так жарят рыбу, что рехнуться можно! Эх, жалко, что тебе нельзя водить машину, а я не научилась. А то съездили бы в Санта-Крус, там магазин хороший есть... Ладно, с тоски не помрем! Тут тоже есть куда пойти.

— А на вулкан подниматься не будем?

— А ну его! Ничего там нет интересного. Лучше будем купаться!

— Это да! Ох, Вика, как я рада, что мы тут вместе...

— И я!

Обе ликовали! Москва с ее заботами, огорчениями и отвратительной погодой осталась далеко-далеко.

— Знаешь, странно, я пока еще не скучаю по Боброву.

— Кто бы мог подумать! — засмеялась Вика.

Прошло уже четыре дня с отъезда Марты. Да, человеку необходимо иногда побыть наедине с собой. Бобров после лекций поехал в Останкино, где предстояла запись очередной политической программы. Он уже терпеть не мог эти ток-шоу, но считал своим долгом иногда появляться там, чтобы достойно противостоять людям из противоположного лагеря. Он умел одной фразой обезоружить даже самых отчаянных крикунов и демагогов.

— Михаил Андреевич, — встретила его редактор, — идемте на грим!

— Да-да, конечно.

После грима до начала записи оставалось еще минут двадцать. Бобров сел в кресло, взял бутылочку воды и сунул в рот печенье.

— Боже мой, Михаил Андреевич! — раздался у него над ухом женский голос.

Он поднял голову. И встал. Это была Алла Силантьева. Она выглядела ослепительно!

— Здравствуйте, Алла! Вы тоже участвуете?

— Да! Меня пригласили! У меня был материал по этой теме.

Речь должна была идти о терактах в Лондоне.

— Вот как! Выглядите прекрасно.

— Михаил Андреевич, у вас не найдется полчасика после съемки? Мне необходимо поговорить с вами.

— О чем? — сурово осведомился Бобров, поймав себя на том, что невольно любуется ею.

— Мне просто необходима ваша консультация!

— По какому вопросу?

Она не успела ответить, к ним подбежала девушка-ассистентка и увела Аллу на грим.

А вскоре участников пригласили в студию. Алла оказалась на противоположной стороне. И он невольно смотрел на нее. Ноги у нее что надо, от ушей, как говорят. Да и вся она... что надо... Но мне ведь совершенно не надо? У меня есть моя Марта. Но Марта далеко, а эта вот она... Бобров, будь осторожнее. Это медовая ловушка! И едва он мысленно произнес «медовая ловушка», как все грешные мысли разом вылетели из головы. Сработал инстинкт самосохранения. Он перестал смотреть на Аллу, заговорил с соседом по скамейке, а тут появился ведущий и запись началась. Это продолжалось больше двух с половиной часов. Бобров пребывал в раздражении, как почти всегда после теле-шоу. И зачем я трачу на это время? Он утешал себя тем, что в отличие от большинства коллег по этим шоу, бывает на них достаточно редко и лишь в тех случаях, когда речь идет о Великобритании.

— Михаил Андреевич, снять грим не хотите? — спросила ассистентка.

— Разумеется, хочу! Не выходить же на улицу с размалеванной рожей! — проворчал он.

Грим быстро сняли. Но едва он вышел из гримерки, как его окликнула Алла.

— Михаил Андреевич! Давайте спустимся в кафе и поговорим. Вы обещали! — обворожительно улыбнулась Алла.

— Нет, давайте лучше поговорим где-нибудь в менее людном месте. Тут просто не дадут.

— О, да! Может, напротив, в «Твин-Пиггсе»?

— Пожалуй! Вы на машине?

— Нет.

— Тогда я пока оставлю машину здесь, чтобы лишний раз не заморачиваться с парковкой.

— Правильно! Идемте!

Алла страшно волновалась. Она почувствовала, что сегодня он смотрит на нее по-другому, по-мужски. От этого кружилась голова и сладко замирало сердце. Интересно, он возьмет меня под руку? Нет, не взял. Алла, держи себя в руках. Не спугни его. Я знаю, его клуша сейчас уехала, он один, на свободе...

В «Твин-Пиггсе» народу было немного. И, как ни странно, никого из знакомых.

У них приняли заказ очень быстро.

— Итак, Алла, я вас слушаю!

— Ах да, вот... — И Алла достала из сумочки книгу в яркой красно-черной обложке. «Шпионы тоже люди». Автор Нонна Слепнева.

Бобров перевернул книжку, на задней стороне обложки была помещена фотография какой-то невзрачной женщины и аннотация к роману..

— Ну и для чего этот маскарад?

— Понимаете, Михаил Андреевич, когда я написала свои первые книги, я же не знала, что встречу вас!

— Не понял!

— Неправда! Все вы поняли! Но я сделаю вид, что поверила вам и постараюсь объяснить. Я чувствовала потребность писать, попробовала, вроде бы получилось, во всяком случае мой первый роман напечатали, заказали второй. Я не хотела светиться под своим именем, меня очень воодушевила мысль устроить некую мистификацию. Писать под псевдонимом, ну и все в таком духе. Я подумала: если успеха не будет, значит, какая-то там Нонна Слепнева со Псковщины мелькнет и исчезнет. Книгу особо не заметили, но она неплохо продалась, правда, первый тираж был крохотный. Зато второй уже был очень приличный. Заказали еще один роман. Написала. Его издали уже хорошим тиражом. И он тоже быстро продался. Но тут я встретила вас. То есть еще не встретила, а случайно увидела в Интернете ваше интервью. И я пропала... Влюбилась, как девчонка! И сказала себе: Алла, это твой мужчина! Я стала отслеживать ваши передвижения, ну, по мере сил, конечно. И вдруг меня посылают от газеты в Сочи и я узнаю, что вы там тоже будете! А когда я познакомилась с вами и вы мне довольно жестко дали понять, что я вас не заинтересовала как женщина, тут у меня крышу-то и снесло... И я задумала написать роман о вас и откровенно сказала об этом Костенко. То есть я, конечно, не сказала ему, что влюбилась, а только что вы меня заинтересовали как персонаж. Михаил Андреевич, почему вы молчите?

— Я слушаю. А сказать мне, собственно, нечего.

— Вы... вы читали рукопись?

— Нет, ее читала моя жена. И, кстати, она мне сказала, что книга хорошо написана, но авторша явно влюблена в своего героя.

— Она проницательная женщина. Но теперь-то вы соблаговолите прочесть?

— Пожалуй! Это лестно — оказаться героем романа.

— Вы имеете в виду литературный жанр?

— О да, исключительно литературный жанр! — усмехнулся Бобров.

Но Алла уловила в этой усмешке то, что ей хотелось.

— Михаил Андреевич, я не стану вам навязываться, вы не тот человек и мужчина, которого нужно ловить.

— Вернее, которого можно поймать.

— Вот именно! Поэтому у меня к вам просьба, а вы уж снизойдите до безумно влюбленной женщины. Прочтите книгу, а послезавтра я приглашаю вас поужинать со мной. Только приходите без машины, чтобы выпить хоть бокал вина — надо ведь обмыть книгу! Это традиция такая... Я автор, а вы герой...

— А если книга мне не понравится?

— Вы мне откровенно скажете, что именно вам не понравилось. У меня нет мании величия, я чутко отношусь к критике. Ну как вам такое предложение?

— Послезавтра?

— Да, это суббота.

— Ну что ж... Согласен.

— О! Я вам так признательна! Адрес я вам скину на телефон. А теперь я вас оставлю! Мне еще нужно встретиться с одной женщиной, тут, на Королева, 19!

И она поспешила уйти. Да, хваткая дамочка! Но хороша... И очень хитра. Бобров, держи ухо востро. А впрочем... Если будет очень настаивать, почему бы и не трахнуть ее? Только предупредить сразу, что это... так... под давлением обстоятельств... Нет, нельзя! Такая вполне может известить Марту. Ладно, поживем-увидим. В конце концов жизнь сама все расставит по своим местам.

Но грешная мысль уже заползла скользкой гадиной в его мозг. В конце концов это даже лестно, что такая молодая талантливая красавица сходит по мне с ума. И надо все же прочесть наконец эту книгу. Он открыл ее. На титуле красовалась надпись «Самому потрясающему мужчине от автора!». Ну надо же! Даже доблестные разведчики способны растаять от таких слов. И она ведь еще не знает, какой я мужчина...

Стыд

Боброву было стыдно. Зачем я пошел? Попался как последний лох в медовую ловушку? А затем и пошел, должен был понимать, для чего меня позвали. Она, конечно, хороша... Ну и что? Одна ночь не в счет! Главное, чтобы Марта не узнала. Алла явно настроилась на роман, но мне роман с ней не нужен. Мне вообще ни с кем роман не нужен. У меня есть моя маленькая. Она столько сделала для меня, она меня действительно любит. А главное, понимает. Мне перестали сниться кошмары, прекратились эти приступы, когда внезапно комок подступает к горлу и практически нечем дышать. Помню, как первый раз почувствовал, что не могу даже говорить, просто молча сидел... А она подошла, обняла, я уткнулся лицом ей в грудь и замер, а она как будто все поняла, прижала мою голову, стала гладить по волосам, целовать в затылок и ничего не спрашивала... просто лечила меня своей любовью и нежностью. И ведь вылечила! А я, кобель, повелся на самое элементарное — на восхищение моей особой! Тьфу, стыдоба... Но, в конце концов, с кем не бывает. Дело житейское. Какой мужик на свободе не поведется на такую красавицу, которая к тому же влюблена в него как кошка?

Все это очень мило, но она ведь настырная, если не сказать, наглая, она может преследовать меня. Я уж понял, что она умеет добиваться своей цели. А вдруг она поставит себе цель — женить меня на себе? Я-то, положим, на ней ни за что не женюсь, но она может испортить жизнь Марте. Запросто! Такая вряд ли перед чем-нибудь остановится. Эй, Бобров, ты сам-то понимаешь, о чем думаешь? Ты, опытный разведчик, умеющий ходить буквально по лезвию бритвы, испугался настырной бабы? Стыд и срам! А плоть слаба... А бабенка на диво хороша и жена далеко, на острове Тенерифе... Это тебе жирный неуд. в зачетку, Бобров! А вот интересно, Санька Пыжик не воспользовался отсутствием Вики? У него в клинике такие медсестрички... Бобров, тебе было бы легче, если бы и Санька согрешил?

И вдруг Боброву позвонил Сокольский.
— Алло, Миша?

— Да, Петрович. Слушаю тебя.

— Миш, помнишь, ты предлагал встретиться, выпить, а?

— Помню, конечно. Предложение остается в силе.

— Правда? Я был бы рад...

— Отлично!

— Когда и где?

— А приезжай ко мне! У меня есть хороший виски.

— Не, я лучше водки куплю.

— И водка есть. И закуску организую, правда, Петрович, приезжай, нам давно пора поговорить по душам!

— А сейчас можешь?

— Могу!

— Я подъеду через часок?

— Жду!

Бобров обрадовался. Если мы с Петровичем примиримся, Марта будет рада. Ему сейчас хотелось радовать жену. Он даже поехал и купил ей дорогущее пальто на подкладке из голубой норки и решил, что захватит его в аэропорт, когда поедет ее встречать.

Сокольский пришел ровно через час.

— Ну привет, старина! — смущенно произнес он. — Пожмем друг другу руки, что ли?

— Давай!

Они обменялись рукопожатием.

— Заходи, Петя, ничего, что посидим на кухне?

— Да ты что! Мне в радость эта московская привычка! Помню, радовался без ума назначению в ООН, а сейчас счастлив просто, что вернулся. Устал как собака! О, ты тут чего-то настряпал, я гляжу?

— Мясо в горшочках.

— А Мартышка мне не говорила, что ты кулинар, — улыбнулся Сокольский.

— Может, и говорила, но ты слушать не хотел, а? — улыбнулся Бобров.

— Может, и так. Прости меня, Миша. Я был дурак дураком...

— Но сумочку красивую выбрал! — засмеялся Бобров. — А уж какого красавца с ней прислал! Мне Марта его фотку показала.

— Признаю! Глупость несусветная.

— Знаешь, я почему-то всегда знал, что рано или поздно ты вот так придешь ко мне и все наши недоразумения останутся в прошлом. У тебя что-то случилось?

— Случилось, Миша. Ирка меня бросила.

— Быть не может! — удивился Бобров.

— Может! Еще как может!

Екатерина Вильмонт

— И что теперь?

— Ей предложили работу в пресс-центре МИДа.

— Но это же не повод...

— Нет, конечно. Она устала от меня. Я и вправду вел себя черт знает как. Закатывал истерики, ревновал незнамо к кому... Уже в Москве начал вдруг блядовать, хотя это вообще не мой жанр, но, видимо, седина в бороду... И она мне сказала: «Я многое могу стерпеть и понять, но элементарная брезгливость не позволяет мне считать тебя своим мужем!» Собрала вещи и ушла.

— К кому-то?

— Если бы! Просто сняла квартиру! Это было таким ударом... Больше двадцати лет... Знаешь, я пришел домой, а ее нет... И меня вдруг стало рвать...

— Буквально?

— Да, буквально. Долго рвало, я уж весь извелся, даже сосуды вокруг глаз полопались... вон, гляди...

Он снял чуть притемненные очки, и Бобров увидел красные точки вокруг глаз. Ну надо же!

— Я отблевался, рухнул на кровать, и у меня как будто пелена с глаз упала. Как я жил последние полтора года, во что превратился... И я понял, почему я так не хотел, чтобы Мартышка была с тобой. Ты был для меня живым укором! Что ты перенес в жизни и не сломался, остался человеком и мужиком, а я чувствовал, что я слабак... и бесился от этого... Мне стыдно, Мишка, честное слово! Прости меня, брат!

— Да ладно, Петя, я могу тебя понять. И, кстати, думаю, Ира тоже поймет, если ты придешь к ней и все это скажешь...

— Да это-то она понимала и раньше. А вот загулы по бабам...

— Думаю, это-то простить легче. С кем не бывает!

— Думаешь?

— Уверен! Она же любит тебя.

— Не уверен уже. Разве что пожалеет, а это для меня невыносимо! Так или иначе, спасибо тебе, брат!

Они сидели, пили, говорили, говорили и от неприязни не осталось и следа. В результате Петр Петрович остался ночевать у Боброва.

Бобров позвонил жене и при виде нее обрадовался. Даже по скайпу было видно, как чудесно она выглядит.

— Маленькая, как ты там?

— Ох, Миша, тут земной рай! Мы вчера ездили в зоопарк мартышек! К моим родственникам! Там такие лемуры, там была одна маленькая коричневая лемуриха, беременная, она так гладила себя по пузу, умора! А мартышки у одного парня из рюкзака бананы тырили! — захлебывалась Марта. — Миш, ты был на Тенерифе?

— Нет, не довелось. А ты купаешься?

— По сто раз в день! Это такой кайф! Океан такой ласковый, теплый...

— Только будь осторожна, пожалуйста! Выглядишь чудесно! Знаешь, ко мне вчера приходил твой брат...

— Ой!

— Мы с ним примирились! Он просил прощения, все осознал, мы хорошо выпили, он у меня даже ночевал. Но Ира от него ушла. Мне как-то не с руки к ней с этим лезть, а ты, когда вернешься, может, попробуешь?

— Обязательно попробую, но ей нужно время, чтобы остыть. Как раз к моему возвращению... Ой, Мишенька, а у тебя все нормально?

— Абсолютно! Все в штатном режиме.

— Ой, Мишка, у меня один здоровенный лемур банан прямо из рук вырвал, а шимпанзе... Они злые, они тут за стеклом, он увидал банан и стал буквально требовать, лезть на решетку, трясти ее, а я при всем желании не могла дать ему этот банан. Так он, в качестве последнего аргумента, предъявил мне свои мужские достоинства. Народ вокруг помирал со смеху. У вас, мужиков, это всегда последний аргумент?

Бобров искренне расхохотался. Какая же прелесть моя Марта. А главное, родная! Насквозь родная!

Бобров пил кофе вместе с коллегой Фридой Марковной и пересказывал ей Мартин рассказ о лемурах и обезьянах.

— Я была в этом зоопарке. Там правда чудесно и безвредных зверушек можно погладить. Мартышки на плечи садятся, и мелкие лемурчики с тобой общаются. Знаете, Миша, ваша жена произвела огромное впечатление на моего племянника! Он когда бывает в Москве, непременно спрашивает, как поживает та восхитительная блондинка, которая была на моем дне рождения.

— Он настоящий красавец, ваш племянник.

— Вы ревнуете, Миша?

— Ну, если он только осведомляется о восхитительной блондинке, то вряд ли у меня есть повод.

— Это верно, — рассмеялась Фрида Марковна.

У него зазвонил телефон. Алла!

— Я слушаю, — сухо отозвался он. Сбросить звонок он не захотел.

— Алло, Мишенька, любимый, я так соскучилась.

— И что?

— Может быть, приедешь вечером?

— Нет, это нереально.

— Сегодня нереально?

— Нет. Вообще нереально. Я виноват, но...

— Но что?

— Продолжения не будет. Извини, мне сейчас неудобно говорить. Все.

Он отключил мобильник.

Фрида Марковна испытующе на него смотрела. И он вдруг почувствовал, что краснеет.

— Миша, простите, что стала невольной свидетельницей. Вот не думала, что люди с вашей биографией способны краснеть.

— Фрида Марковна!

— Все, все, умолкаю! Не мое дело.

— Да вы что-то не так поняли...

— Все я поняла, — грустно улыбнулась Фрида Марковна. — Как говорится, не первый год замужем. Ну да бог вам судья. И простите еще раз, я не хотела вмешиваться.

Она смотрела на него даже с нежностью и сожалением.

— А вообще вы правы! — вдруг сказал Бобров. — Все правильно поняли. А я болван!

— Она была красива, соблазнительна и очень настойчива?

— Да! — рассмеялся Бобров.

— А теперь она требует продолжения...

— Пока не требует, но...

— Вы увлечены ею?

— Да нисколько. Я, что называется, попался в медовую ловушку. Мне стыдно, поверьте!

— Зная вас, верю. А еще она, скорее всего, безмерно восхищалась вами...

— О да! А я, как мальчишка, повелся...

— И теперь вы ее даже боитесь.

— Боюсь, да. Она может...

— Она может поставить в известность Марту?

— Боюсь, что да. А потерять Марту для меня хуже смерти. Знаете, Фрида Марковна, я абсолютно не бабник.

— Это видно. Но и на старуху бывает проруха.

— Да уж! Сам не знаю, что это со мной, почему я вдруг разоткровенничался, это тоже не мой жанр, но вы как-то располагаете... — смущенно улыбнулся Бобров. — Вы очень хороший человек, Фрида Марковна!

— Ну... не преувеличивайте! Но в одном вы можете быть уверены: ни одна живая душа не узнает о нашем разговоре.

— Это я понимаю, иначе и слова бы не сказал.

Марта с Викой сидели за столиком ресторана и разглядывали только что купленные украшения с местным камнем, который назывался оливин. Недорогой, но на диво красивый и разнообразный. Все оттенки зеленого были представлены в купленных украшениях. Марта купила два колечка, одно себе, а второе Ирине. Сережки и кулончик. А Вика купила кольцо и браслет.

— Слушай, а ты не хочешь купить что-то в подарок свекрови? — спросила Марта.

— Да ты что! Она никаких украшений не носит! Вообще! Она это презирает!

— Ой, а я дура, надо было купить что-то Милечке! Брошку! Я куплю ей брошку. Она обожает брошки!

— А я там что-то брошек не видела.

— Ничего, поищем в других магазинах, их тут как грязи! Ох, Вика, как же тут хорошо! Ты так загорела, просто красота, да и я тоже...

— Небось уже мечтаешь, как покажешь свой загар Боброву?

— А ты не мечтаешь показать загар Пыжику?

— Есть такой момент, — рассмеялась Вика.

К их столику подошел официант и, обращаясь к Вике на ломаном английском, сказал:

— Сеньора, вам просили передать!

И положил на столик перед нею конверт.

— Кто?

— Какой-то мужчина. Он был тут и ушел.

— Что это значит? — заинтересовалась Марта.

Вика открыла незапечатанный конверт, вытащила оттуда листок бумаги и вдруг страшно побледнела.

— Марта! — еле слышно прошептала она. — Это Антонио!

— Откуда он тут взялся?

— Почем я знаю!

— И что он пишет?

— Что хочет встретиться... поговорить... назначил встречу на семь часов...

— Пойдешь?

— А ты думаешь, не стоит? — дрожащим голосом спросила Вика.

— Я ничего не думаю. Это твое глубоко личное дело.

— Ну да, ну да... Марта, я боюсь!

— Чего ты боишься, чудачка? Ты же сама отказалась выйти за него замуж.

— А знаешь, как тяжело мне это тогда далось... просто я понимала, что не смогу жить в чужой стране. Я думала, он согласится жить в России или хотя бы на две страны, но он обиделся и уехал. С тех пор от него не было ни слуху, ни духу. И вдруг... Нет, я пойду, просто чтобы себя проверить! — решилась вдруг Вика. — Поужинаешь без меня?

— Ну уж с голоду умирать не буду! Но если вдруг решишь заночевать с ним, пришли эсэмэску, чтобы я не волновалась.

— Ладно, хотя вряд ли... У меня же есть Пыжик...

— Большой уверенности в голосе не слышу!

— Марта, если будешь говорить с Бобровым, не вздумай ему ляпнуть...

— Ты совсем офигела, подруга?

— Кажется, да!

В десять часов от Вики пришло сообщение: «Вернусь к завтраку!»

Ну-ну, подумала Марта. Пыжика жалко!

Дневник

А я, могла бы я изменить Мише? Нет, нет! Да и с кем? А он? Он может мне изменить? Боюсь, что да! Он же мужик... А значит, полигамный. А я могла бы его простить, если бы узнала? Больше всего на свете я боюсь его потерять. Я бы, вероятно, простила... Или нет? Вопрос в том, кто эта женщина. И еще — если это просто случайный пересып, простила бы однозначно. А если роман? Да нет, откуда роман? Он же действительно меня любит. И я ни за что никому его не отдам, только если он придет и скажет: прости, но я полюбил другую. Вот тут я сама прогоню его. Веником! Веником!! Но так или иначе, надо быть готовой к тому, что он вполне может с кем-то переспать. А какая у меня гарантия, что он еще не переспал с этой наглой цаплей, длинноногой журналисткой? Она красивая и явно на него нацелилась, а он джентльмен, ему будет трудно отказать даме... Это очень возможно! Она будет петь ему дифирамбы, и все такое... Короче, для начала я приму как уже свершившийся факт его измену. Но только физическую. Ее я переживу. И еще неизвестно, получит ли он с ней такое удовлетворение, как со мной! Он всегда твердит, что я лучшая женщина в его жизни, что я создана для него. Допустим, это все-таки случилось... Цапля не упустит такой возможности, как мое отсутствие. Больно мне? Больно, еще как больно! Но я буду за него бороться! Враг будет разбит и победа будет за нами! Интересно, как он себя поведет? Если согрешил, непременно приготовит мне какой-нибудь дорогой подарок! Хотя он и так делает мне дорогие подарки. Ну, поглядим... Господи, неужели такой вроде бы сильный и умный мужик может поддаться настырной цапле?

Как странно, что я могу так хладнокровно рассуждать о таких вещах. Вероятно, это потому, что в глубине души я в это не верю...

Вика явилась в половине девятого.

— Ну как?

— Да ну... — отмахнулась Вика. — Только зря ночь потеряла.

— Почему? Он что, импотент?

— Нет. Но по сравнению с Сашей... И вообще, эти испанские бла-бла, ну их. Ладно, было и прошло. Идем завтракать, я голодная!

— Он тебя не накормил?

— Да он еще дрыхнет. Ну, а ты чем занималась?

— Не поверишь, готовилась к возможной измене мужа.

— Чего? — ахнула Вика.

До сих пор Марта не рассказывала Вике про Аллу Силантьеву и Нонну Слепневу, а тут вдруг рассказала.

— Ну ни фига себе! Вот нахалка, в дом явилась... А ты ее не веником прогнала?

— Нет, зачем? Она бы сочла меня вульгарной, — неподражаемо улыбнулась Марта.

— Знаешь, мне нравится твой настрой. Правильно, за свою любовь надо бороться! Но если она еще раз сунется, сразу хватайся за веник!

Возвращение

— Санька, поедешь встречать девчонок? — позвонил приятелю Бобров.

— Ох, Миш, не выйдет, у меня тут консилиум и еще прорва дел. А ты поедешь?

— Обязательно! Ладно, доставлю Вику домой, не беспокойся!

Бобров приготовил ужин, даже вафли испек. Но новое пальто решил не везти в аэропорт. Это уж слишком. Марта может догадаться, что я виноват перед ней. Пусть просто откроет шкаф и увидит. Он ясно представлял, как она обрадуется.

После телефонного разговора в присутствии Фриды Марковны Алла больше не проявлялась. Неужели поняла? Вряд ли. А впрочем, может, она гордая? Вообще-то непохоже... О господи, и зачем я с ней связался, удовольствия на копейку, а неприятностей может быть на сто рублей...

...Когда он увидел Марту, загорелую, радостную, первой мыслью было: как я люблю ее. Она сияла своей солнечной улыбкой.

Он шагнул ей навстречу.

— Мишка! — взвизгнула она и повисла у него на шее. Он прижал ее к себе, вдохнул родной запах...

— Маленькая, я так соскучился! Девчонки, выглядите потрясающе! Вика, Санька страшно занят, доверил мне тебя доставить домой! А что это у вас за коробки?

— Это стрелиции, мы в аэропорту купили.

— А что такое стрелиции?

— Это цветы такие, на Тенерифе они на каждом шагу. В Москве тоже есть, но тут они стоят очень дорого и не такие свежие, — объяснила Вика.

— Обалдеть, в такую даль цветочки перли! Ну, идемте скорее, вы постойте тут, а я подгоню машину!

— Он все-таки классный, твой шпион! — заметила Вика.

— Знаю... — вздохнула Марта. Вряд ли он проколется, мой шпион. Ну и хорошо. А может, ничего и не было? Но в глубине души шевелился червячок сомнения.

По дороге они весело болтали втроем. Завезли Вику домой.

— Саши еще нет, окна темные, — грустно проговорила Вика.

— А хочешь, поедем к нам, — предложила Марта. — Саша тебя потом заберет.

— Да нет, зачем! Я пока разберу чемодан, цветы поставлю...

Бобров донес Викин чемодан до квартиры. А Марта первым делом открыла бардачок. Ничего подозрительного там не было. Ну да, шпион же... В одном я уверена — в квартиру он ее не привел бы. В крайнем случае в свою квартиру в Ясеневе.

— Маленькая, — сказал Бобров, вернувшись, — я даже не думал, что тебе так пойдет загар! Я так уже хочу увидеть его во всей красе! Я даже жалею, что купил тебе цельные купальники.

— Не волнуйся, я в первый же день купила себе раздельный, минимальный, — засмеялась Марта.

— И какого цвета? — улыбнулся Бобров.

— Белый! Две крохотные белые тряпочки.

— Ты хулиганка, да?

— Ой, Мишка, я такая голодная! В самолете кормили какой-то дрянью...

— Я приготовил ужин и даже вафли испек.

— Вот здорово! Обожаю твои шпионские вафли!

— Ну, теперь это, пожалуй, не шпионские вафли, а политологические!

— Звучит отвратительно!

Наконец они добрались до дому. Первым делом
Марта поспешила поставить цветы.

— Миш, достань мне с верхней полки синий
кувшин!

— Слушаюсь, моя госпожа!

Он обожал смотреть, как Марта ставит цветы.
У нее в доме было много разных ваз. Иногда она
целенаправленно доставала одну и сразу ставила
цветы. А иногда долго перебирала: то в одну поставит, то в другую, приговаривая что-то, но сегодня сразу поставила стрелиции в большущий кувшин синего стекла.

— Красиво, правда?

— Очень!

— Мишка, я через две минуты уже помру с
голоду!

— Сейчас, сейчас! Все, садись!

Марта ела с отменным аппетитом, а он смотрел
на нее и радовался как дурак.

— Знаешь, мне прислали сообщение, что через
два дня начинают запись первых программ!

— Ты рада?

— Ну еще бы! Ну, а как ты тут жил без меня?

— Скучал ужасно. То есть днем скучать было некогда, а вот ночью... Да, я приготовил тебе сюрприз.

— Какой?

— Хороший, думаю, тебе понравится!

— И где он, твой сюрприз?

— В шкафу висит.

Марте стало страшно. Она вскочила и пошла к шкафу. Чуть помедлила.

— Ой, что это? Красота какая! Мишка, но ведь зима практически кончилась!

— Ничего, еще успеешь надеть несколько раз. Да ты примерь!

Он взял у нее из рук роскошное пальто и галантно подал ей.

— Ох как тебе идет!

— Да, красиво... — задумчиво проговорила Марта. — Очень! Миш, кто? — вдруг огорошила она его вопросом.

— Что кто?

— Миш, кто она?

— Норка, голубая норка, разве не видишь?

— Вижу, что норка. Я спросила, кто она, с кем ты мне изменил?

— Что? Я тебе изменил? Что за чепуха! По-твоему, я делаю подарки жене только в качестве платы за индульгенцию? Это просто... просто бред!

— Это цапля?

— Маленькая, ты там что, на солнце перегрелась? Какая еще цапля?

— Красивая, длинноногая, наглая как танк цапля? Алла Силантьева или как ее там, Нонна Слепнева? Да?

— Маленькая, не сходи с ума! Мне никто в целом свете не нужен, кроме моей Марты, заруби себе это на носу! У тебя это стало навязчивой идеей? Да я с прошлого года в глаза ее не видел, эту Аллу!

— Ну что ж, на сей раз поверю тебе, ты умеешь быть убедительным. Но хочу сразу предупредить: если я узнаю, что ты мне изменил, я оставляю за собой право на симметричный ответ, как говорят дипломаты.

— То есть? — опешил Бобров.

— Око за око, измена за измену.

Бобров похолодел.

— Только попробуй!

— Не собираюсь пробовать, если ты не дашь мне повода! Все! Закрываем эту тему. Я в душ. Я соскучилась по тебе, Бобров!

И она ушла в ванную. Что это с ней? Она за весь вечер ни разу не заплакала! Я, конечно, прокололся с этим пальто... Дурак! Но как оно ей идет! Неужто у нее такая интуиция? Неужто и впрямь что-то почувствовала? Или это уже постаралась Алла? Да, Бобров, как ты мог заранее не просчитать ситуацию? Не так уж страстно ты хотел эту... цаплю? Да, а откуда Марта знает, как выглядит Алла и что она наглая? Странно это все... И неприятно, так неприятно! За дверью ванной комнаты шумела вода. Вот сейчас Марта выйдет оттуда в красивом халате... Самая желанная женщина на свете... И какие там к чертям цапли... Надо же, метко подмечено. Отныне Алла для меня будет цаплей и только.

Идет охота...

Между тем Алла пыталась строить коварные планы, но ее так захлестывали эмоции, что практически ничего не получалось, что было ей совершенно несвойственно. Обычное хладнокровие напрочь изменило ей. Ночь с Бобровым произвела на нее неизгладимое впечатление. Любовь к нему, ненависть к его жене, злость на него за тот ужасный телефонный разговор... Но она все-таки решила взять тайм-аут, чтобы остыть и обдумать все с холодной головой. Но где там! Что, что я сделала не так? Ведь он пришел тогда ко мне, принес цветы и конфеты, был чрезвычайно мил и любезен, но почему-то не проявлял инициативы. Пришлось мне сделать первый шаг. Ну, он не остался безучастным... Боже, какой это мужчина! Я даже не знала, что такое возможно! Видимо, их этому специально обучают, этих шпионов... Или это природный дар? И что мне теперь делать? Смириться с поражением? А разве это было поражение? О нет! Он же не просто трахнул меня из вежливости. Нет, он был очень горяч... довел меня до полного изнеможения... И все? Как я теперь смогу жить без него? И даже посоветоваться не с кем! Подруг нет. Зачем подруги, я всегда справлялась сама... Вот что, надо потребовать, чтобы в издательстве мне устроили презентацию книги... Нет, я совсем с ума спятила. Книгу же «написала» Нонна Слепнева! А может, пора уже раскрыть псевдоним?

Дневник

Я не знаю, как теперь быть. Миша и раньше покупал мне дорогие вещи за глаза и всегда попадал в точку, и эти подарки не вызывали подозрений. А это изумительное пальто... Он объяснил все достаточно правдоподобно: в конце зимы на такие вещи огромные скидки. «Маленькая, ты же вечно мерзнешь из-за своих сосудов, а это пальто такое уютное, теплое и так тебе идет...» Все это, собственно, вполне в его духе... Может, я просто сама себе страшилки придумываю? Или все-таки что-то у него было с этой цаплей?

Она ведь пригрозила мне, что непременно отобьет его. Зря я Мишке ничего про это не сказала. А я скажу! Да, теперь уже можно. И даже нужно!

— Как хорошо дома, когда тебя встречает любимая жена! — сказал Бобров, снимая пальто.

— Я надеюсь, домой ты ее не приводил? У нее есть своя квартира?

— Марта, хватит! — раздраженно бросил Бобров. — Сколько можно дурью мучиться!

— Ладно, пойдем на кухню, ты же голодный, вот и злишься!

— Я всегда злюсь, когда слышу всякую хрень!

Марта промолчала. Вот пусть сперва поест, а потом я ему расскажу и посмотрю, что будет.

Бобров действительно был здорово голоден. И очень любил Мартину стряпню.

— Ох, как вкусно! Спасибо, солнышко!

— На здоровье! Миш, чтобы не было недоразумений и лишнего вранья, я должна сказать тебе кое-что.

— Так! Интересно! Опять этот бред насчет журналистки?

— Это не бред! Просто какое-то время назад она вдруг мне позвонила...

Боброва прошиб холодный пот.

Марта в подробностях пересказала мужу свой разговор с Аллой Силантьевой.

— И что мне после ее угроз было думать? Скажи на милость! А тут еще я уехала черт знает как далеко, а мне к возвращению такое шикарное пальто куплено... Ты лучше признайся!

— Ну, во-первых, мне совершенно не в чем признаваться. Разве что в том, что один раз я с нею пересекся.

— Так! — похолодела Марта.

— Пересекся в Останкине, на съемках программы. Она тоже участвовала. Вот и все!

— И она к тебе не лезла?

— Почему? Лезла! Но я поставил ее на место, только и всего.

— Да? Интересно, на какое место и в какой позе!

Бобров ударил кулаком по столу.

— Не смей! Не смей говорить такие пошлости! Тебе это категорически не идет! В твоих устах это просто невыносимо! И вообще запомни: если я захочу тебя обмануть, я сумею это сделать так, что комар носа не подточит! Смешно, ей-богу! И вообще, мне никто кроме тебя не нужен, но если ты будешь продолжать в том же духе, я могу и пересмотреть свою позицию. Все, разговор окончен.

Марта прикусила язык. Таким взбешенным она мужа еще никогда не видела. Но это обстоятельство только укрепило ее в подозрениях.

Что это? Почему она не плачет? Ни разу не заплакала с момента возвращения. Очень странно. Очень. А я болван! Как я мог связаться с такой стервой, как эта Алла? Это ж надо додуматься, впрямую угрожать моей жене... Идиотка! Она затаилась. Не достает меня. Но радоваться преждевременно. Господи, как я ненавижу эту бабскую возню... Тьфу! И мою маленькую в это втянула. Она мне не верит, я вижу, чувствую. У нее интуиция удивительная. Она так умеет чувствовать нутром, что именно мне сейчас нужно... И то не выдержала, раскололась... Но она молодчина, моя Марта. Как здорово дала отпор этой нахалке! Ее роман — это чушь малиновая. Я пытался ей это сказать, но она так спешила уложить меня в койку, что и слушать не стала. И ведь уложила... Поразительно! Ладно, я пока никаких шагов предпринимать не стану. Подождем!

Боброву позвонил Матвеев.

— Мишка, знаешь, у меня на той неделе юбилей! Семьдесят пять стукнет!

— Да я помню! Как не помнить!

— Не в том дело. Я, знаешь ли, решил в этот день собрать своих учеников и подопечных, ну, кого можно, разумеется. И в чисто мужской компании. Придешь?

— Ну что за вопрос! Что вам подарить?

— Я на такие вопросы не отвечаю. Сам реши!

— Хорошо! А народу много будет?

— Человек восемь-девять. Компашка отставных шпионов!

— А почему без дам? И где это будет?

— Я снял отдельный маленький ресторанчик. А без дам... Ну их, от них, как правило, все беды!

— Ох, как вы правы, Владимир Васильевич! — засмеялся Бобров. — Интересно, а я кого-нибудь из гостей знаю?

— Одного — точно. Это Лешка Земцов.

— Уже хорошо! — обрадовался Бобров. По крайней мере можно будет позвонить ему и посоветоваться насчет подарка старику.

Сказано — сделано!

— Алло! Леша?

— Да, Миш, привет! Полагаю, ты звонишь ровно по тому поводу, по которому я сам позвонил бы тебе через час-другой. Насчет подарка Владимиру Васильевичу?

— Приятно иметь дело с умным человеком. Есть идеи?

— Есть. Давай скинемся и купим ему хороший современный айфон. Согласен?

— Отлично! Только как бы нам не попасть впросак с этой идеей!

— Не понял!

— Видишь ли, эта идея лежит на поверхности. Какая гарантия, что другие гости не воспользуются ею?

— Черт! Как я не подумал... Ты прав! На сто процентов. А что ты предлагаешь?

— Понимаешь, я тут на днях купил жене чудесное пальто на меху.

— Начало как минимум неожиданное! — засмеялся Земцов.

— Так вот, я там видел роскошный мужской плащ с меховой подстежкой. По случаю конца сезона там огромные скидки. Всяко выйдет дешевле накрученного айфона и уж точно никто нас не продублирует.

— А размер ты знаешь?

— У нас с ним один размер. И это практически две вещи. Снимаешь подстежку и это просто элегантный плащ...

— Все, уговорил! Идейка — зашибись!

— Тогда я куплю. Или хочешь вместе съездить?

— Купи, а я отдам деньги при встрече. А как здоровье Марты?

— Слава богу! Ее взяли на телевидение и сейчас у них там дурдом. Снимают новые программы. И канал новый, она сейчас вся в этом. А как твоя сестра и матушка?

— Все слава богу. Знаешь, Миш, давай так сделаем: ты мне скинь номер твоей карточки, я тебе деньги сброшу, чтобы с кэшем не заморачиваться.

— Правильная мысль.

В одной из центральных газет появилась развернутая рецензия Аллы Силантьевой на роман Нонны Слепневой «Шпионы тоже люди». Рецензия на первый взгляд беспощадная, но если вчитаться повнимательнее, то и лестная для автора. Но кто вчитывается в подобные рецензии? Однако всякому, кто прочтет, сразу захочется купить эту книгу.

Но Марта, с утра до ночи занятая съемками новых программ, ничего об этом не знала. Ей позвонила Гуля.

— Привет, подруга! Есть пять минут?

— Есть даже пятнадцать. Привет!

— Ну, во-первых, Баженов в восторге от вашей пары, говорит, это ровно то, что ему было нужно!

— Приятно слышать! А как у тебя с ним?

— Ну, пока нормально.

— Хомут шею еще не натер?

— Да нет, телевизионщики ведь почти все маньяки. И меня это устраивает. Слушай, Марта, ты рецензию читала?

— Какую рецензию?

— Очень занятная история. Рецензия Аллы Силантьевой на книгу Нонны Слепневой.

— Как?

— Да вот так! Хитрожопая бабенка!

— И что, она хвалит книгу взахлеб?

— Ничего подобного! Она ее здорово ругает! Но делает это так, что даже я заехала в магазин и купила этот роман.

— Ничего себе!

— Слушай, подруга, а что если нам пересечься, посидеть вечерок в каком-нибудь вкусном месте, а?

— Да я бы с удовольствием, но...

— Виталий говорит, что в субботу у вас съемок нет.

— Кажется, да! О, и Миша вечером идет на юбилей... Я с удовольствием!

— Тогда я за тобой заеду в семь. Годится?

— Конечно!

В субботу с утра они поехали к Милице Артемьевне. Она была бодра.

— Ох, ребятки, не знаю, как я жила без Тимошки! Это удивительный кот! У меня заболела нога, так он явился и лег ровно на то место, где болело! И представьте себе, нога прошла! И вообще такой ласковый, такой чудесный кот! Даже не думала, что такие коты бывают!

Марта ощутила укол ревности. Это же мой кот! И тут же ей стало стыдно. У меня же есть Миша и новая работа. Такая интересная работа!

К их приезду Милица Артемьевна испекла яблочный штрудель. За кофе, сваренным в кофеварке, купленной Бобровым, Милица Артемьевна спешила поделиться с родными последними впечатлениями:

— Вот объясните мне, как такое возможно? Смотрю один сериал, интересно закрученный, увлекательный, с неплохими актерами, так там одна актриса, молодая и красивая, все время говорит «то, что». Ужас какой-то! «Я понимаю то, что Ваня неплохой человек!» «Он говорит то, что хочет уехать». Ведь вряд ли так написано в сценарии? Тем более что остальные артисты говорят нормально. Так почему ж ей никто не сказал, что так нельзя говорить, что это безграмотно? Непостижимо! А режиссер что, не слышит этих слов-паразитов?

— Скорее всего, режиссер и сам так говорит, — рассмеялся Бобров.

— Но это же ужасно!

— Да, Милечка, это ужасно, — согласилась Марта. — Я, когда такое слышу, у меня сердце начинает болеть.

— Знаешь, Миля, я сегодня иду на юбилей к Матвееву.

— Что значит, ты идешь? А Марта?

— Там будет чисто мужская и профессиональная компания.

— А я сегодня встречаюсь с Гулей! — сообщила Марта. — А кстати, ты уже в курсе, что роман о тебе вышел?

— Понятия не имел! — соврал Бобров.

Марта бросила на него быстрый взгляд. И поняла — врет. Но развивать эту тему при Милице Артемьевне не стала.

— Мартинька, в следующий раз непременно привези мне этот роман, я жажду его прочесть!

— А я привезла, просто забыла отдать. Сейчас принесу.

Она вскочила и, накинув пальто, выбежала во двор к машине. Вернулась с двумя экземплярами. Один отдала Милице Артемьевне, а второй — мужу. Он с иронической усмешкой пролистал книгу.

— Ох, Мартинька, спасибо тебе! Мишка, а ты и вправду не знал, что книга вышла? — спросила тетка.

— Ей-богу, родная. Меня это мало волнует. Тем более что Марта показывала мне какие-то куски. Скажем прямо, не шедевр!

Марта промолчала.

Но когда они сели в машину, вдруг сказала:

— А ты в курсе, что Алла Силантьева написала рецензию на эту книжку?

— Но ты же меня уверяла, что Алла Силантьева и есть Нонна Слепнева?

— Совершенно верно!

— И она сама на себя написала рецензию?

— Выходит так!

Боброву был невыносим этот разговор. Марта явно что-то подозревает. Подозревает или знает? Он о рецензии ничего не знал. Алла, как ни странно, оставила его в покое. Но она так хитра...

— Ну и черт с ней, в конце-то концов! Вот что, маленькая, давай-ка заедем куда-нибудь пообедать, чего возиться дома!

— Давай, — согласилась Марта.

За обедом она вдруг сказала:

— Она очень красивая, эта цапля. Только у нее отвратительные духи, такие резкие...

— Позволь, откуда ты знаешь, какие у нее духи? насторожился Бобров.

— Я же тебе говорила, что она приходила ко мне. — Марта успела в долю секунды заметить, что он испугался. — Мерзкая баба! Впрямую заявила, что все равно отобьет тебя у меня. И, похоже, она уже начала свою деятельность. Об этом свидетельствует это роскошное пальто!

— Маленькая, ну что ты несешь!

— А по-твоему, она это так, сдуру сболтнула?

— Ну, если она впрямую заявила тебе, что хочет меня отбить, значит набитая дура! А если ты полагаешь, что меня можно отбить вопреки моей воле, значит, ты тоже набитая дура! — рассердился он.

— Юпитер, ты сердишься, значит, ты не прав!

— Конечно, я не прав, назвав тебя дурой, — обворожительно улыбнулся Бобров. — Ты моя любимая маленькая дуреха... И как хорошо, что у тебя теперь есть работа, по крайней мере меньше времени на глупые умозаключения. А эту цаплю я в гробу видал, заруби себе это на носу!

— Хорошо, я постараюсь...

Как странно, с тех пор как Марта вернулась с Канар, она ни разу не заплакала... Что бы это значило?

Марта собиралась на встречу с Гулей. Она была так благодарна подруге за эту новую работу... Но все время возвращалась мысленно к разговору с мужем. Я видела, он взбесился, когда услышал, что цапля явилась к нам в дом. Если бы его с цаплей совершенно ничего не связывало, он бы удивился, даже рассердился, а тут он был просто взбешен. И напуган. Я знаю, когда он взбешен, у него дергается левый уголок рта... Скорее всего он даже сам этого не знает, иначе уж сумел бы с этим справиться... Господи, как я ее ненавижу! Даже не думала, что способна на такую ненависть!

На столе в гостиной стоял большой пестрый букет, его ей подарил муж. Она задумчиво подошла к букету. Одна гвоздичка завяла. Марта вытащила ее и подумала: красивый букет, будет еще долго стоять. Это как наша любовь — большая и красивая, но один цветочек уже завял... Мое абсолютное доверие к Мише... Его больше нет, но в целом... Нет, я никому его не отдам. Ни за что! Но с другой стороны... бороться за мужчину... это так унизительно... Неужто мой шпион все-таки угодил в медовую ловушку? Очень даже может быть. Права эта цапля: шпионы тоже люди!

Позвонила Гуля.

— Мартышка, спускайся, я тут!

Марта надела новое пальто и побежала вниз.

Подруги расцеловались.

— Цветешь, Мартышка! А пальто — зашибись! Виталий передавал тебе привет, он сейчас в Голландии. Закупает там какой-то контент для канала. Весь горит этим! А у тебя грустные глаза.

Марта улыбнулась.

— Есть причины.

— Все та же Алла Силантьева?

— Да.

И Марта поведала подруге о своих подозрениях.

— Он отпирается?

— Конечно!

— Значит, не хочет ничего менять в своей жизни.

— Понимаешь, если бы он сознался, мне было бы легче. Ну с кем не бывает...

— Ты бы простила?

— Конечно! Ну трахнул он ее, большое дело! Хотя, конечно, здорово противно... А вот то, что он упирается, все отрицает, наводит на подозрения. Ох, Гулька, я так благодарна тебе за эту работу! Так отвлекает!

— Господи, Мартышка, перестань! Я не знаю, кто больше рад — ты или Виталий! Так приятно облагодетельствовать сразу двоих!

— Троих! Есть ведь еще и Корней!

— Тем более! А как поживает твой брат?

— Да плохо! Ирка его бросила. Не выдержала. Он страдает. И с горя даже помирился с Мишей. И мне признался, что был неправ, что Бобров замечательный мужик...

— Ну надо же! Он работает?

— Да. В МИДе. И Ирка тоже в пресс-центре МИДа. Я надеюсь, они все же помирятся. Хотя пока Ирка об этом и слышать не желает.

— Да, дела! А я прочла «Шпионы тоже люди». Довольно интересно и неплохо написано. Но все же, по-моему, туфта. А твой Бобров читал?

— Откуда мне знать! Говорит, что нет. Но я сегодня дала ему эту книжку. Он закинул ее на заднее сиденье в машине.

— Странно, что авторша еще не подарила ему.

— Странно и неправдоподобно.

— Но ты дома ее не видела?

— Нет.

И тут вдруг Марта подумала: а не прячет ли он эту книгу? Может, она написала на книге ему что-то лестное, приятное? Да мало ли почему он может ее прятать? Но если прячет, значит, она дорога ему? Если бы не хотел, просто выбросил бы ее к чертям.

Она поспешила поделиться этой мыслью с подругой.

— А что... Это идея... и где он может ее прятать?

— Однозначно не у меня. Скорее всего в своей квартире в Ясеневе.

— Ты там бываешь?

— Нет.

— А ключи у тебя есть?

— Лежат у него в столе.

— Кстати, может, он туда ее и приводил, а?

— Откуда я знаю?

— Так поезжай туда и погляди! Такие бабы всегда нарочно оставляют свои следы.

— Противно как-то...

— Но ты ж теперь будешь мучиться, а потом все равно поедешь.

— Похоже на то...

— А хочешь, я с тобой поеду?

— Господи, когда?

— А давай прямо сейчас! Заскочим к тебе за ключами и мотанем в Ясенево. Сейчас больших пробок быть не должно, быстро обернемся. Твой шпион сегодня вряд ли рано домой вернется. Давай, не раздумывай! Ты только представь себе, что мы ничегошеньки не найдем. Как же тебе приятно будет!

— А если найдем?

— Ты к этому готова!

— Ладно, поехали!

Гуля позвонила своему водителю и велела немедленно подъехать к дверям ресторана. И через пять минут они уже мчались на улицу Бориса Галушкина.

— Беги за ключами, я тебя жду! — распорядилась Гуля.

Марта вбежала в квартиру и бросилась к письменному столу. Ключей на месте не было. Марта обыскала все три ящика. Напрасно. Странно, они всегда лежат здесь. В лихорадочном возбуждении обшарила карманы его куртки и зимнего пальто. Напрасно. Наверное, он бросил их в бардачок и забыл. Хотя это так на него не похоже. Она спустилась вниз.

— Я не нашла ключей. Их нигде нет, — убитым голосом сообщила она.

— Ну, мало ли... Или ты думаешь, он отдал их ей?

— Нет, не думаю. Просто он мог просчитать, что я, подозревая его, могу туда поехать, а там, видимо, что-то такое есть...

— Ерунда! Шпионы никогда не оставляют следов, по крайней мере хорошие шпионы, а Бобров, как я понимаю, был хорошим шпионом.

— Ладно, Гулька, спасибо за все, я, наверное, пойду домой.

— Да ну, время детское еще, мы же сорвались.

— И что ты предлагаешь?

— Не знаю, просто не хочу сейчас тебя одну оставлять.

— Да? А пойдем ко мне.

— А у тебя выпить есть?

— Конечно.

— Годится!

Вечер в честь Матвеева был в разгаре. Мужчины хорошо выпили. Кто-то ввязался в политический спор, кто-то рассказывал анекдоты. К Боброву подсел Земцов.

— Старик, ты, помнится, говорил, что у тебя есть знакомый врач. Ну, который жену твою лечил...

— Да, есть. Санька Пыжик. А тебе нужен врач?

— Да не мне, а маме. Он по каким хворям спец?

— Он сосудами занимается. А что с матушкой?

— Возраст, Миша. И сосуды это именно то, что нужно. Дашь координаты?

— Не вопрос! Запиши телефоны. И сошлись на меня.

— Он твой знакомый? Пыжик это фамилия?

— Нет, фамилия Алексахин Александр Афанасьевич. Кстати, мне его Матвеев порекомендовал. А он оказался моим школьным приятелем. Врач потрясающий. Уверен, он твоей матушке поможет.

— Спасибо, Миша! А как здоровье Марты?

— Сейчас слава богу все нормально. Благодаря Пыжику.

— Повезло тебе, старик, с женой.

— Она тебе нравится?

— Прелестная женщина!

Бобров был уже не слишком трезв.

— Только ты не мылься, Леша! Тебе не светит!

— Ты обалдел, Бобров? — оскорбился Земцов. — Держи себя в руках!

— Извини, брат.

— То-то же!

...Бобров вернулся домой не слишком поздно. Глянул на окна. Свет горел. Значит, Марта уже дома, обрадовался он. За вечер, проведенный исключительно в мужском обществе, он соскучился по жене, по ее чудесной улыбке. Почему она больше не плачет? —неожиданно подумал он. Неужели разлюбила? Его прошиб холодный пот. Нет, ерунда...

Он открыл дверь ключом и сразу услыхал женские голоса. Он замер.

— Марта, прекрати!

Он узнал голос Гули. Что такое должна прекратить его Марта?

— Ты же говорила, что простила бы...

— Мало ли что я говорила... Да, может быть, если бы он пришел и повинился... простила бы... Но увидеть собственными глазами... Это уж слишком... Этого я не прощу... Вот придет, веником погоню... Пусть валит к этой! И как он мог... с такой тварью...

— Да, чтобы шпион так прокололся... Видно, очень воспламенился, если не почуял подвоха.

Бобров похолодел. Он все понял. Видимо, Алла сняла что-то такое, чего Марте нельзя было видеть, и прислала ей эту запись? Я ее удавлю к чертям! Неужто она полагает, что таким способом заполучит меня? Значит, она идиотка! Но что же делать сейчас? Он тихонечко вышел из квартиры и закрыл за собой дверь. Тут надо думать! Ему было нестерпимо, до спазма в горле жаль Марту. Бедная моя девочка! Боже, так вляпаться... Он спустился вниз, вышел на улицу. Там уже чувствовалась весна. Его обуревала такая ненависть к Алле, что он буквально задыхался. И не только к ней, но и к себе. Как я мог! Старый болван, идиот, на какую удочку попался... Но разве ждешь подвоха от любящей женщины? Да какая там любовь! Любовью и не пахнет. Одна только цель — любыми средствами заполучить нужного мужика. И ведь начала тонко, роман вишь ли обо мне написала... Тьфу! Но что-то нужно делать... Поехать сейчас в Ясенево и не подавать о себе вестей, чтобы Марта испугалась? Ерунда, дешевка! И тут его осенило. Он позвонил Петровичу. Тот ответил сразу.

— Бобров, что-то случилось? С Мартой?

— Прости, Петрович, ты один?

— Один, можно сказать, одинешенек! А что?

— Можно я сейчас к тебе приеду? Нужна твоя помощь!

— Тебе?

— Мне.

— Тебе плохо?

— Да, мне так хреново, как никогда еще не было.

— Валяй, жду!

Бобров обрадовался. Он вызвал такси, которое приехало буквально через пять минут. Из машины он отправил жене эсэмэску: «Извини, маленькая, я заночую у твоего брата. Прости. Люблю».

Марта как минимум удивится, потом решит, что помощь нужна Петровичу.

Ответа на его сообщение, как и следовало ожидать, не было, да он и не рассчитывал. Она, конечно, решит, что я у Аллы, и непременно позвонит брату. А тот скажет, что я у него или что ждет меня... Она удивится еще больше... Ладно, там видно будет. Он очень рассчитывал на моральную поддержку Сокольского.

Тот открыл ему дверь, и вид у него был встревоженный. Чтобы Мишка Бобров попросил у него помощи... Это по меньшей мере странно.

— Мишка, что стряслось? Мартышка в порядке? Вы поссорились?

— Не успели. Сейчас все тебе расскажу. Вот не чаял, что когда-нибудь приду к тебе с таким разговором.

— У тебя баба завелась? — предположил Петр Петрович.

— Не завелась, а... случилась...

И Бобров ввел шурина в курс дела. Он рассчитывал на мужскую солидарность. И не ошибся в своих расчетах.

— Вот же сука! — возмутился Петрович. — Тварь конченая! Но как ты, с твоей биографией, мог так проколоться? Или так разнежился?

— Да ничего я не нежился! Она мне вообще не нравилась...

— А на что запал, на экстерьер? Или она тебе фимиам курила, дифирамбы пела?

— Все так... и фимиам, и дифирамбы, а на деле... Марта была далеко... не удержался, она так лезла...

— Да, брат Миша, знаю я эту породу, а сейчас они еще вооружены до зубов всякими гаджетами... Спасу нет! А в результате теряешь именно тех женщин, с которыми хотел бы прожить до самой смерти. Плоть слаба, что поделаешь. Но до мозгов это доходит, когда уже практически поздно. Знаешь, как мне хреново без Ирки?

— Петрович, а что делать-то? Я твою сестру больше жизни люблю, ни одна другая баба мне не нужна. Вот не думал, что когда-нибудь скажу такое: Петрович, помоги!

— Да, Мишка, кто бы мог подумать... Ну, я попробую... Хочешь, прямо сейчас ей позвоню, она наверняка не спит... Или лучше подождать до утра, пусть поволнуется?

— Нет, этого не нужно. Достаточно, если она просто удивится.

— Пожалуй!

Марта подошла к телефону. Голос у нее был неживой.

— Мартышка, не спишь?

— Этот... у тебя?

— Да, у меня.

— Спелись? Ты передай ему, что я утром на работе. Вещи его соберу. Пусть увозит. Не желаю больше его знать!

— Послушай, Мартышка...

— Что я должна слушать? Про вашу гребаную полигамию? Знаю, проходила. Больше не хочу!

— Мартышка...

— Перестань, Петька! Как же его разобрало, если он ничего не заметил? Или заметил, но решил, что так даже лучше? И ведь с какой тварью гнусной связался! Все! Знать его не желаю. Так ему и передай!

И она швырнула трубку.

У Петра Петровича была включена громкая связь. Бобров все слышал. Он сидел белый как мел. И только скрипел зубами.

— Слышал?

— Слышал. И ведь она во всем права.

— Ну, в общем и целом... Но, Мишка, она ж тебя без памяти любит. Простит рано или поздно.

— Как бы не было слишком поздно.

— То есть?

— Ох, да не знаю я... Убил бы эту суку! Своими бы руками придушил на фиг!

— Вот этого не надо!

— Да понимаю я все. Просто так тошно... И маленькую жалко, сил нет...

— Мне по голосу показалось, что она выпила.

— Явно! Они там с подружкой квасили... Господи...

— А я вчера в лифте столкнулся с Иркой. Она так хорошо выглядит! Как бы не завела кого... — тяжело вздохнул Петр Петрович. — А, кстати, Мартышка с горя тоже может с кем-то спутаться... И как бы не с подонком каким-нибудь...

— Петрович, не трави душу! Я и так вечно за нее боюсь. Скажи, а ты знал, что с ней случилось, когда ей было четырнадцать?

— Четырнадцать? Нет. А что? Что с ней случилось?

— Ее изнасиловали два подонка...

— Как? Откуда ты знаешь? Она сказала? — мгновенно протрезвел Петр Петрович.

— Если бы...

— Так, может, вранье?

— Да нет. Ко мне в прошлом году явился... киллер, которому ее заказали.

— Бобров, ты что несешь?

— Да, все так и было. Этот мужик не хотел ее убивать, а хотел денег. Потом выяснилось, что Марта на радио столкнулась с одним из тех... Он жутко перепугался и заказал ее.

— Господи помилуй! И что?

— Ну что... Дал я киллеру денег, а он мне сказал, кто заказчик. Я ума приложить не мог, за что мою маленькую убить хотят. Ну, поехал к Вике, припер к стенке, она и раскололась. Причем она сама об этом только что узнала...

— Ну а ты?

— А я готов был его убить, но это было нерационально. Он был депутатом городской думы. Я привлек своего коллегу, большого спеца по финансовым схемам, пошел на прием к депутату и поставил ультиматум: если в течение недели он не смотается за рубеж, все его художества станут достоянием гласности. Ну он и утек.

— Обалдеть! А Мартышка? Ты ей сказал?

— Зачем? Она догадалась, что я причастен к его скандальному исчезновению, но я молчал. Ей ведь было бы неприятно...

— Постой, я сейчас припоминаю... Мы с Иркой вернулись из Найроби и застали Мартышку в ужасном состоянии, вроде бы после тяжелого гриппа... Повезли в Судак. Ирка подозревала, что Мартышка залетела, может быть... Но та все отрицала. И мало-помалу пошла на поправку... Так вот в чем было дело... Бедная девчонка! А теперь ей еще такой подарочек... Скажи, а баба-то хоть красивая?

— Объективно — очень! Но я ее ненавижу!

— Красивая и целеустремленная, это опасно! А ведь она своего добилась. Для начала поссорила тебя с женой...

— Но если она думает, что я с горя приду к ней, то роковым образом ошибается. И вообще, плевать я на нее хотел. Мне главное Марту вернуть.

— Так упади в ножки, клянись, что никогда больше... Ну и все такое... Она добрая, простит. И у тебя, насколько я понимаю, это первый прокол. А мне хуже... Я побольше набедокурил. И в ножки падал, и клялся... Напрасно!

Они долго еще пили и изливали друг другу душу.

Персона нон грата

Утром Бобров поехал домой, надеясь застать Марту. Но ее уже не было. В прихожей стояли три сумки. И к ним был прислонен новенький веник. Бобров понял — она намекнула, что выгоняет его всерьез. Но, с другой стороны, этот веник внушил ему некоторую надежду. Значит, чувство юмора в этой операции по его выдворению все же присутствовало! То есть она оставляет ему надежду. И это, так сказать, показательная порка! Ну что ж, поиграем, подумал он с благодарностью. Взял вещи и поехал в Ясенево. Он был человек аккуратный и решил сразу развесить и разложить вещи. Открыл одну сумку. Там лежали его бумаги, ноутбук и вафельница. Это ему не понравилось. А когда в третьей сумке сверху он обнаружил пресловутое пальто, подбитое норкой, ему стало нехорошо. Это уже не игра. Да и не способна Марта на такие игры. Она слишком чистый и прямодушный человек. И веник вовсе не свидетельство ка-кой-то игры, наоборот, свидетельство отчаяния... Она не знала, как еще объяснить ему, что он в ее квартире персона нон грата. Бобров заскрипел зубами. Но времени на эмоции уже не было. И он поехал в институт. У него были лекции.

— Мартуся, что стряслось? — спросил Кор-ней, когда Марта вошла в гримерку. — Что с гла-зами?

— Ничего, не выспалась просто, — буркнула Марта. — Танечка, с этим можно что-то сде-лать? — спросила она гримершу.

— Попробуем. Да ничего, Марта, как камеру включат, ты и оживешь!

— Надеюсь!

Марта закрыла глаза и попыталась расслабить-ся. Какое счастье, что у меня есть теперь эта ра-бота, которая требует полной отдачи и определен-ной дисциплины, не позволяет растечься от жало-сти к себе.

— Марта, готово! — тронула ее за плечо Таня. — Выглядишь неплохо!

— О, Танечка, спасибо, ты кудесница!

Войдя в уютную студию, где всегда стояли цветы, Марта села на диванчик рядом с Корнеем, на столике перед ними дымились две чашки кофе. И пока им еще не надели микрофоны, Корней шепнул:

— Со шпионом повздорила?

— Выгнала его. Взашей!

— Господи, за что?

— Вот что я получила вчера вечером!

Марта сунула ему свой смартфон.

— Это он прислал?

— Она! Но все равно!

— Гадость какая! Но, Мартуся, бывает с нами, мужиками, такое... Ничего не попишешь... Просто баба уж больно низкопробная.

— Вот! Очень точное выражение — именно низкопробная! — словно бы обрадовалась Марта.

— Ничего, никуда он не денется.

— А я больше не хочу! Я так верила ему... А он... Нет! Все!

Но тут включили камеры, заработали микрофоны и началась работа.

Марта и Корней на канале «Позитив» вели уже не только музыкальную программу. Им доверили и куда более ответственную миссию — вести ежедневное утреннее шоу в прямом эфире, где им необычайно пригодился многолетний опыт работы вдвоем на радио. И хотя зона покрытия канала была еще невелика, но положительные отзывы приходили в большом количестве. Люди благодарили за то, что с утра их не пичкают политикой, ныне способной испортить настроение кому угодно, а, напротив, заряжают оптимизмом на целый день. И не последнюю роль тут играла улыбка Марты.

Вернувшись домой, Марта увидела, что сумки исчезли, а к венику были прицеплена записка: «Я все понял. Прости, если сможешь. Бес попутал. Люблю только тебя».

Дневник

Странно, я не могу больше плакать. Не получается, а боль такая, хоть волком вой! Комок в горле и дышать трудно. Только на работе и забываюсь. Как он мог? Хотя глупый вопрос, как все они могут. Да легко! Большое дело, как говорится — сунул, вынул и бежать... А она красивая, до ужаса красивая! Но до чего подлая! Я бы простила его, с кем не бывает, но она прислала видео, и этого я пережить не в силах! Хочется биться головой об стену. Как он мог так попасться? Он, такой умный, такой проницательный и осторожный, настоящий шпион? Да он просто лох! Поманила красивая баба, а жена далеко, он и попался! Небось считал, что такому прожженному ничего не грозит? Дурак! Сволочь! Ненавижу! И Тимошку у меня отнял! Не могу же я отобрать кота у старой женщины, которая так к нему привязалась. Она-то мне ничего плохого не сделала. И с Петькой он теперь задружился... Нет! Я не сдамся! Я буду жить дальше, благо у меня есть такая работа. А он... Он пусть как хочет. С Аллой или без Аллы. Это меня уже не касается. Долго без бабы он все равно не обойдется. А с кем он будет, его дело! Я больше не хочу!!!

В субботу Бобров, как обычно, поехал к тетке.

— Мишка, что с тобой? А где Мартинька?

— Она меня бросила, — мрачно отозвался Бобров.

— Ты шутишь?

— Я так не шучу. Она выгнала меня.

— Выгнала? Значит, за дело! И что ты натворил? Спутался с этой журналисткой?

— Что? А ты почем знаешь?

— Значит, спутался! Марта чувствовала... Но она же умница, она простит. Ты же не всерьез?

— Ах, Миля, я болван! Я в мирной жизни так расслабился, не почуял подвоха... Впрочем, не хочу об этом говорить... Я самый обычный лох. Наделал кучу ошибок, как будто не было у меня за спиной этого опыта... Словом, такой же остолоп, как большинство мужиков, если жена на курорте.

— Эта девка сообщила Марте?

— Сообщила. В режиме видео.

— Что это значит?

— Я все сказал!

— То есть она сняла на видео что-то неподобающее?

— Вот именно!

— И прислала Марте?

— В том-то и дело.

Милица Артемьевна надолго замолчала.

— Ты почему молчишь? — встревожился Бобров.

— Пытаюсь поставить себя на место Марты. Она не простит, Мишка. Это простить нельзя. — И Милица Артемьевна заплакала. — Пойми, мальчик, услышать, узнать, это одно, а увидеть собственными глазами... Это невозможно. Непереносимо!

— Думаешь, я не понимаю? — с мукой в голосе сказал Бобров. — Все понимаю. Потому и не кидаюсь в ножки, отдаю себе отчет в том, как я ей сейчас противен.

— Но я надеюсь, ты с горя не свяжешься с этой стервой?

— Я хоть и лох, но не до такой степени! И я все-таки не теряю надежды, что рано или поздно Марта меня простит. Я ведь никогда не сомневался в ее любви. А она мне просто необходима. Буду смиренно ждать.

— Может, ты и прав... А что ты сделаешь с этой Аллой?

— Хотел бы придушить, но не стану руки марать.

— Но она же не оставит тебя в покое!

— Пусть только сунется!

— Скажи, как ты думаешь, Марта не отберет у меня Тимошу? — дрожащим голосом спросила тетка.

— Тимошу? Нет, не отберет. Марта благородная... добрая... А я осел! Не волнуйся, Милечка, Тимоша останется с тобой.

Ему вдруг бросилось в глаза, как сдала за последнее время Милица Артемьевна. Она с трудом вставала с кресла, подолгу смотрела в одну точку, чего раньше не было. И на руках появились старческие пятна. Или я просто раньше этого не замечал? Зачерствел от своего счастья? Да, наверное.

— Милечка, а как ты себя чувствуешь?

— Ничего, более или менее. А ты почему спросил?

— Просто спросил. Ты же мне не чужая.

— Мишенька, пожалуйста, помирись с Мартой! Тогда я могла бы умереть спокойно... Ты мне такой не нравишься.

— Какой?

— Нахохленный! Ты таким вернулся в Москву, нахохленным и взъерошенным. И сейчас ты опять такой... Я не хочу видеть тебя таким... Пожалуйста! Я так полюбила Мартиньку. Пожалуйста, Миша!

Ему было до ужаса жалко старуху. Но что он мог поделать?

— Я постараюсь!

— А ты сам-то хочешь ее вернуть?

— Больше всего на свете!

За Мартой теперь присылали машину, ее рабочий день начинался в половине пятого утра. Корней приезжал сам. Они вдвоем просматривали материалы, подготовленные редакторами, сами распределяли, кто и что будет озвучивать в эфире. Это они умели и никаких проблем обычно не возникало. Но вдруг на глаза Марте попалась заметка из рубрики «Тайны псевдонимов»: «Набравший хорошие рейтинги роман Нонны Слепневой «Шпионы тоже люди» подвергся резкой критике в одной из центральных газет. Автор рецензии известная журналистка Алла Силантьева написала весьма лукавую статью. С одной стороны, она вроде бы не оставила от романа камня на камне, а с другой, каждый, прочитавший эту рецензию, безусловно захочет прочитать сей роман. Вы спросите, зачем мы вам об этом рассказываем? О, это весьма пикантная история. Как нам удалось выяснить, Нонна Слепнева и Алла Силантьева — одно и то же лицо!»

— Корнюша, я не буду это читать! — заявила Марта.

— Почему?

— Не буду и все!

— Почему? Объясни!

— Потому что... получится, что я так свожу с ней счеты.

— Сводишь счеты? Постой, это она с твоим шпионом? — догадался Корней.

— Да! Это она с моим шпионом...

— Ну так тем более приятно встрамить ей перо!

— Нет, это слишком... мелко и пошло.

— Ну ты даешь! А если я это прочту?

— Нет, все равно... Я же тут, рядом...

— Так что, просто похерим такую роскошную инфу?

— Да! Эта инфа неизбежно всплывет и помимо нас, если уже не всплыла в Интернете.

— Это ты трусишь или же ты такая благородная?

— Понимай как знаешь!

— Поскольку я с тобой не первый год знаком, то сочту это проявлением твоего благородства, Мартуся.

Шпионы тоже лохи

Алла Силантьева была вне себя. Все казалось бы безупречно выстроенные конструкции с треском рушились. Раскрытие псевдонима вызвало в Сети кучу негативных и попросту злобных отзывов. Само по себе это раскрытие было бы еще с полбеды, но то, что она сама на себя написала рецензию, стало поводом для ядовитых замечаний коллег, кривых усмешек и презрительных фырканий. Но хуже всего то, что Бобров не подавал о себе никаких вестей. Одна ночь и все... Но какая ночь! Он не отвечал на звонки, на эсэмэски, внес ее в черные списки в соцсетях. Но одно было хорошо: он расстался с женой! Вернее, видимо, это она с ним рассталась. Ну еще бы, после такого видео! А шпионы тоже лохи! Вот как надо было назвать роман — «Шпионы тоже лохи!».

...Марте позвонила Вика.

— Послушай, подруга, Пыжик велел сказать, что ты обязана приехать на очередной осмотр.

— Викуся, но я же в будние дни...

— Ничего, выберешь время. Саша сказал, что ввиду последних событий ты просто обязана показаться ему.

— Ты о чем?

— А то ты не понимаешь!

Марта ничего Вике не говорила.

— Но откуда...

— Все просто. Саша позвонил Боброву, а тот сказал, что вы расстались.

Марта только тяжело вздохнула.

— Твои опасения оправдались, я так понимаю? Ты ничего не говори, я же знаю, ты умеешь молчать, а ковырять твои раны я не буду. Сама потом расскажешь. Короче, когда Саше тебя ждать? А если ты не приедешь, я позвоню Корнею и он силой тебя приволочет!

— Не надо! Я приеду! Завтра, часа в три. Это можно?

— Сейчас гляну! Да, в три можно!

— Ладно, приеду. Моя жизнь ведь не кончилась!

— О! Разумно! Я тоже, возможно, буду в клинике в это время.

— Замечательно!

...И в самом деле Марта на другой день поехала в клинику доктора Пыжика. И первой, кого она увидела, была Вика.

— Приехала! Молодец! Выглядишь неплохо, вопреки ожиданиям! — улыбнулась она и расцеловалась с подругой.

— Ты думала, я растеклась в лужицу? Еще не хватало! Из-за всяких...

— И правильно! Саша просил подождать десять минут.

— Не проблема! Я никуда не спешу. И ужасно рада тебя видеть.

— И я! А скажи, ты его... веником, да?

Марта усмехнулась.

— Видишь ли, я собрала его вещи в три сумки и прислонила к ним веник! Думаю, он понял. Я его с тех пор и не видела.

— Вот не думала, что ты такой боец. Хотя ты же прежних гоняла веником, чем этот лучше?

— Да на поверку оказалось, что ничем.

Вика ждала, что Марта сейчас заплачет. Но нет.

Из кабинета доктора выглянула медсестра:

— Марта Петровна, заходите!

— Прости, мне надо бежать! — чмокнула ее Вика. — Я позвоню!

— Марта, приехала все-таки! — приветствовал ее доктор. Выглядишь неплохо.

— ...Ну что ж, — сказал он через четверть часа, — дела, пожалуй, лучше, чем я ожидал. Ты молодчина! Жду тебя через месяц. Так держать!

— Саша, а можно один вопрос?

— Разумеется!

— Саша, ты же знаешь, я раньше чуть что плакала, от горя, от радости, неважно...

— А теперь перестала?

— Да.

— Видишь ли, я не психолог и не психиатр, могу только предположить, что это результат сильного стресса. Он же был, да?

— Был. Но плакать я перестала еще... как бы это сказать, на подступах к самому сильному стрессу.

— Значит, были звоночки... А организм, он ведь умный, он выстроил что-то вроде защитного барьера или дамбы, чтобы не случилось наводнения... — улыбнулся доктор. Улыбка была добрая и понимающая. — Все, ступай с богом! Я тобой доволен!

Когда Марта ушла, доктор Пыжик позвонил:

— Алло, Мишка, да, ушла. Она в порядке, держится. Выглядит хорошо. Спросила, почему вдруг перестала плакать.

— А ты что сказал?

— Сказал, что это защитная реакция умного организма.

— Значит, ей не стало хуже?

— Определенно нет, не стало.

— Ты меня успокоил. Спасибо, друг!

— Ну, я все же надеюсь, вы помиритесь.

— Дай-то бог!

Выйдя из кабинета, Марта направилась к лифту и буквально нос к носу столкнулась с Земцовым.

— Марта! Рад вас видеть!

— Я тоже, Леша! Вы тут лечитесь?

— Не я, матушка. Я приехал за рецептами для нее.

— Передавайте привет вашей маме.

— Погодите, Марта, вы без машины? Я вас отвезу, только подождите меня пять минут.

— Хорошо, с удовольствием, — ответила Марта и села в кресло.

— Я рад!

Он вернулся действительно через пять минут.

— Ну вот! Идемте! Удивительный доктор. Всего один раз мама у него была, а ей уже через неделю стало значительно лучше. Я так благодарен Мише... Передайте ему, пожалуйста.

— Нет, Леша, не передам. Мы расстались.

— То есть как? — опешил Земцов.

— Ну как расстаются люди. Ему налево, а мне направо.

— Простите, Марта, ради бога простите, но я ничего не знал и уж никак не ожидал...

— Да ладно, Леша, все нормально, все живы.

Земцов пристально посмотрел на нее.

Застывшее страдание, так он определил для себя состояние этой женщины. Раньше у нее глаза были на мокром месте, а сейчас ни слезинки. Такое впечатление, что запас слез просто смерзся в ледяной ком и держит ее в этом состоянии вместо стержня... И в то же время в душе оживала надежда. Эта женщина безумно ему нравилась, но он никогда не позволил бы себе даже мечтать о ней, ведь он был обязан Боброву жизнью. Но если они расстались... Только нельзя форсировать события. Сейчас просто отвези ее, куда она скажет, а завтра или послезавтра позвони, пригласи куда-нибудь, а там будет видно. Так он и сделал. Просто довез ее до дому.

— Спасибо, Леша. До свидания.

— До свидания, Марта!

...Марта теперь спала на диване в гостиной, в спальню старалась не заходить без особой надобности. Ложилась она рано, телевизор не смотрела, выпивала таблетку, которую ей рекомендовал доктор Пыжик, чтобы заснуть побыстрее. Ей, как правило, ничего не снилось. Но сегодня вдруг приснился странный сон: Марта с отцом и матерью сидит за столом в родительской квартире, где сейчас живет Петр Петрович, кроме них за столом еще два шпиона — Бобров и Земцов. Они все оживленно беседуют, а Марта вдруг чувствует страшную усталость, она встает из-за стола, садится на диван с ногами, кладет голову на спинку, и тут к ней вдруг подсаживается Земцов, обнимает ее, кладет голову ей на плечо. И Марте так хорошо, так приятно, такая нежность ее переполняет... А при этом она держит в руке соленый огурец, и время от времени откусывает по кусочку. И вдруг Земцов перехватывает ее руку с огурцом, подносит ко рту и тоже откусывает кусочек... И тут Бобров со всей силы ударяет кулаком по столу и кричит: «Нет!!!» Марта проснулась. Господи, к чему этот дурацкий сон? Марта не умела толковать сны. Знала лишь, что покойники снятся к похолоданию... Но при чем тут Бобров и Земцов? А, кажется, я поняла... Земцов попытается ухаживать за мной, а Мишка не сможет этого стерпеть? Конечно, не сможет! А ведь я ему пригрозила, что сумею найти симметричный ответ. А он, конечно же, не поверил. А я способна на этот пресловутый симметричный ответ? Может быть... Земцов такой интересный, обаятельный. По-шпионски обаятельный. И я явно ему очень нравлюсь. Но я ведь не стану снимать на видео этот симметричный ответ, а значит, никакой симметрии все равно не получится. Тогда зачем? А просто так... для повышения самооценки. А разве у меня заниженная самооценка? Да ничего подобного!

Алла сходила с ума. В Интернете на нее обрушились потоки грязи! Коллеги презрительно усмехались и брезгливо отворачивались. Интересно, кто это мне удружил? И вдруг ее осенило — ну конечно же это Марта! Она, похоже, знала, что Нонна Слепнева это я! И намекала достаточно прозрачно. Она мстит мне. А я, одержимая этой любовью, совершенно сдурела, наделала и наговорила кучу глупостей. Да, она выгнала его, но ко мне-то он после этого видео и близко не подойдет. Да, слепая любовь к Боброву и слепая ненависть к его жене поставили меня в это идиотское положение. И что же теперь делать? И ведь Костенко предостерегал меня, говорил: не надо подписывать рецензию своим именем, это может всплыть... И вот всплыло... А что обычно всплывает? Трупы и дерьмо. Да, я теперь практически труп... По крайней мере как журналист. Хотя почему? Успокоится все через месяц-другой, забудется. Сейчас время небрезгливое. Иной раз такое человек ляпнет на всю страну, кажется, руки никто ему не подаст, а глядишь, он уже на другой день опять в эфире, как ни в чем не бывало... Это все так, но что делать с Бобровым? Надо... Надо просто поехать к нему домой. Выяснить его адрес и поехать. Он ведь наверняка живет сейчас в своей квартире. Вряд ли он прописан у Марты. Адрес я сумею узнать. Вот и погляжу, не завел ли он какую-нибудь дамочку. Такой мужик вряд ли долго будет поститься. И если он один, я готова на коленях молить о прощении, рыдать, биться головой об стенку, что угодно... Но неужели это все-таки месть Марты?

Шпион номер два

Через два дня Марте позвонил Земцов.

— Марта, у меня есть билеты в Большой на «Спартака». Завтра. Вы как?

— О, я с удовольствием! Я видела «Спартака» в далеком детстве. Спасибо, Леша!

— Тогда я завтра заеду за вами в шесть.

— Леша, давайте без машины, а то проблемы с парковкой. Лучше встретимся у театра без двадцати. На такси удобнее.

— Пожалуй, вы правы, Марта. Значит, без двадцати у театра.

— Договорились!

Как странно, думала Марта. У меня получается жить без Миши. Я работаю, и вот даже обрадовалась приглашению в Большой... Это потому, что мне нравится Леша, шпион номер два? Или я просто так оскорблена, что... Да, это, видимо, особенности моей психики — вытеснять самое страшное. Как с изнасилованием. Я ведь почти не думаю об этой мерзости, которую увидела воочию? Спасибо родителям за то, что наделили меня такой способностью. Вспомнив о родителях, она решила позвонить брату, который давно не подавал о себе вестей. Но телефон у Петра Петровича был заблокирован. Однако через десять минут он перезвонил:

— Мартышка, ты как?

— Жива! А ты?

— Еле жив! Ну что, помирилась с Мишкой?

— Даже не собиралась!

— Мартышка, ну не будь же ты дурой! Ну бывают с нашим братом такие истории. Он же золотой мужик и любит тебя без памяти.

— Петечка, ты ли это?

— Я, Мартышка, я! Знаешь, когда я в силу разных обстоятельств преодолел свое предубеждение... Я понял, что он... настоящий... и очень надежный.

— Петечка, три ха-ха! Сама надежность...

— Да это ж ничего не значит. Ну такая наша мужская природа... Ну бывает с нами!

— Скажи, а Ира тебя простила?

— Пока нет, но я надеюсь. И потом, я-то не один раз провинился. а Мишка... Ну бес попутал мужика, знаешь, как он мучается...

— Обалдеть! Так спеться на кобелиной почве! Тьфу, противно!

И Марта в сердцах швырнула трубку, но слышать, что Бобров мучается, было все-таки приятно.

Марта долго стояла перед шкафом, выбирая платье для Большого театра. И в результате остановила свой выбор на темно-синем изящном платье, купленном с подачи Боброва. Платье было дорогое, скромное, но подчеркивало все, что надо подчеркнуть, а скрывать Марте было нечего. Она тщательно подкрасилась и на такси поехала к Большому театру. Народу у входа толпилось несметное множество. Тут ничего не стоит потеряться, правда, есть телефон...

— Марта! — кто-то схватил ее за плечо.

— О, Леша! Я боялась, что не найду вас.

— Но я бы вас нашел в любом случае, не сомневайтесь.

— Да я не сомневаюсь, — улыбнулась Марта. Земцов почувствовал, что ему не хватает воздуха.

— Кордебалет что-то не очень, — заметила Марта в антракте, — когда-то он был куда лучше.

— Ну, я не такой тонкий ценитель...

— Да вы вообще, по-моему, на сцену не смотрели, — засмеялась Марта.

— Как говаривал принц Датский — тут магнит попритягательнее!

— А вы раньше видели этот балет?

— Нет. Я вообще не большой любитель балета.

— Тогда, может быть, уйдем? Я помню, когда-то спектакль произвел на меня грандиозное впечатление, а сейчас... Не хочу разочаровываться.

— Марта, да я с восторгом! Может, поужинаем где-то?

— С удовольствием!

Когда они шли к выходу, к ним подскочил какой-то паренек:

— Господа, вы уходите? Оставьте нам ваши билеты. Пожалуйста!

— О, замечательно! — воскликнул Земцов и сунул парню билеты.

— Спасибо, спасибо огромное! Ленка, бежим!

К нему подскочила девочка лет шестнадцати, он схватил ее за руку, и они помчались в зал.

— Приятно кому-то доставить радость, — с улыбкой заметил Земцов.

— Да, в самом деле!

...На улице значительно потеплело.

— Весна! Люблю весну! Ну, куда двинем?

— О, выбор за вами, — сказала Марта.

— Вы очень голодная?

— Вообще не голодная!

— Тогда предлагаю пойти пешком куда глаза глядят и, если нам что-то понравится, туда и зайдем?

— Отличная идея! — обрадовалась Марта.

Земцов взял ее под руку. И они пошли вниз по Петровке. Оба молчали. Потом вдруг Земцов спросил:

— Простите, Марта, я задам один вопрос... Если вам неприятно, не отвечайте. Я пойму.

— Вы хотите спросить, почему я рассталась с Бобровым, да?

— Да.

— Извольте, я скажу! Только не перебивайте меня. Он... он спутался с одной... Все вы в таких случаях говорите одно и то же, мол, такова мужская природа, бес попутал, больше не буду... Я все это и сама понимаю. Как говорится, не первый раз замужем. Но когда меня окунают в дерьмо, это уж чересчур! Виноват не Миша... Я и это понимаю. Его девка, иначе не могу ее назвать... сняла... на видео факт измены, говоря протокольным языком, и прислала эту прелесть мне. Вероятно, я бы в конце концов простила его... Но я увидела все своими глазами... И как бы я его ни любила... не могу! Это выше моих сил. Вот, Леша, я ответила на ваш вопрос.

Он ничего не сказал, только молча сжал ее локоть.

— И знаете, я совсем перестала плакать. Я же раньше плакала по любому поводу. А сейчас не могу, — как-то по-детски жалобно проговорила она.

Он вдруг почувствовал, что она вся дрожит.

— Вы замерзли, давайте зайдем вот сюда, вам нужно что-то выпить, согреться.

— Давайте!

Они зашли в какой-то ресторанчик в одном из переулков. Там было уютно и вкусно пахло.

В меню оказалось много грузинских блюд.

— Любите грузинскую кухню? — спросил Земцов.

— Обожаю!

Они заказали разные грузинские закуски: лобио, баклажаны с орехами, пхали из шпината.

— Рекомендую чахохбили! — посоветовал официант.

— Я не буду, мне лучше чашашули! — заявила Марта. — Леша, чахохбили я сама вам приготовлю!

— Пожалуй, мне тоже это... чашашули! И вина, да?

— Нет, мне нельзя... Лучше что-то покрепче.

— Отлично! Тогда коньяк?

— У нас есть настоящая домашняя чача. Три степени крепости, сорок градусов, пятьдесят и семьдесят!

— О! — воскликнул Земцов. — Тогда начнем с сорока! А там посмотрим, да, Марта?

— Да! — весело сверкнув глазами ответила она.

Кажется, она уже пришла в себя. Господи, как она мне нравится... Восхитительная женщина, именно такая мне нужна. Но я не могу, не имею права. Она ведь еще любит его, мучается несказанно, изо всех силенок борется с этой мукой. Я, конечно, могу воспользоваться, обаять, даже соблазнить, но что потом? Я никогда не смогу смотреть в глаза человеку, которому в буквальном смысле слова обязан жизнью, а он, чтобы спасти меня, пожертвовал своей свободой... Нереально! Я никогда не смогу себя уважать. Но она так хороша... И ей, по-видимому, нужно сейчас мужское внимание, поддержка... Что ж, я буду оказывать ей это внимание и поддержку, но в рамках...

— Леша, а хотите, я скажу, что вы сейчас думаете?

— Вы умеете читать мысли? — улыбнулся он.

— Да, особенно мысли бывших шпионов.

— Вот даже как! Ну, попробуйте!

— Только пообещайте мне... если я угадаю, вы не станете отпираться?

— Обещаю!

— Только я сначала немножко выпью! — и Марта опрокинула стопочку чачи. — Ух, крепкая...

— Ну, это только сорок градусов! Итак, Марта, о чем же я думал?

— О том, что я вам очень нравлюсь... И я сейчас одна и меня жалко... И можно было бы воспользоваться ситуацией, но вы просто не имеете права... Вы честный человек и вы обязаны Боброву жизнью. И если даже бес вас попутает, то в этом случае вы не сможете себя уважать. И радости этот попутавший вас бес вам не принесет... Вот как-то так... Разве нет?

У него комок стоял в горле. Она была сейчас такая грустная, такая несчастная...

— Марта, вы самая умная женщина. Вы действительно прочли мои мысли. Вы мне безумно нравитесь... И все остальное вы тоже угадали... И больше того, я вполне могу сказать вам как Пьер Безухов... Если бы я был не я... Только беда в том, что все обстоит именно так, как вы и угадали.

И ведь даже нельзя сказать, что Миша мой заду-
шевный друг. Нет, мы, собственно, только коллеги, вполне расположенные друг к другу, но... Я чувствую, что я вам тоже нравлюсь...

— Да, нравитесь, вы, шпионы, чертовски обаятельные.

— Вот что я скажу вам, дорогая моя Марта...
Если в один прекрасный день я вдруг узнаю, что
вы действительно бесповоротно расстались с Бобровым, если сам он мне это скажет, тогда я буду
счастлив предложить вам и руку, и сердце, и всю
мою жизнь. Но сейчас я в состоянии предложить
вам только свою дружбу и всяческую помощь и
поддержку. Вот так!

— Черт, какой вы благородный, Леша... А вы
что, любите меня? Руку и сердце... Надо же... Или
это пятидесятиградусная чача в крови вскипела?

— Считайте, что чача, если вам так легче, —
улыбнулся он.

— Ну да, легче, я ведь ничего такого не думала...

— А что же вы думали?

— Да ничего, просто... хвостом покрутить...

— А вот это неправда. Я ведь тоже умею читать мысли прелестных женщин. Вы думали о...
симметричном ответе, так?

— Господи помилуй! — пробормотала испуганная Марта. — Нет, Леша...

— Марта, милая, да я был бы счастлив хоть такую малость... Но невозможно это... Поверьте, пройдет неделя-другая, Бобров придет к вам и вы простите его, потому что любите только его, а вся эта чепуха с симметричными ответами... чепуха и есть. И даже если вы совершите такую глупость, ваш ответ все равно не будет симметричным...

— Потому что я не стану снимать это на видео, да?

— Именно! Вы умница!

— А вы... вы удивительный человек, Леша!

Они были так увлечены разговором, что не заметили, как в зал вошла пара — Петр Петрович Сокольский с красивой молодой дамой. Он сразу приметил Марту с незнакомым мужчиной, но решил не окликать ее. Этот незнакомый мужчина был явно очень привлекательным. И он так нежно смотрел на Мартышку... Петр Петрович с дамой прошли во второй зальчик. «Мне это не нравится, — подумал он, — что еще за тип? Может, проходимец? Мишка Бобров по крайней мере порядочный человек. Надо это пресечь!» Он сфотографировал незнакомца на телефон на всякий случай. И занялся своей дамой.

...Бобров привыкал к жизни в своей холостяцкой квартире. Это было нелегко. Он тосковал по Марте, стал плохо спать, но кошмары, слава богу, его не мучили. На женщин ему пока даже смотреть не хотелось. Алла продолжала засыпать его эсэмэсками. Он не отвечал и сбрасывал звонки. До него дошел скандал, разразившийся из-за ее рецензии на собственную книгу. Так ей и надо! Подаренную ею книгу он давно выбросил, вырвав титульный лист с дарственной надписью. Лист он сжег. По старой шпионской привычке.

Вечером в пятницу Бобров как всегда выступал на радио «Резонанс». После эфира он разговорился с одним из участников программы, пожилым историком, высказывания которого очень ему понравились. Они вместе спустились в вестибюль.

— Михаил Андреевич! — окликнул его женский голос.

Он оглянулся. Это была Алла. Очень красивая.

— Простите ради бога, Лев Константинович!

— Как не простить, когда такая красотка, — усмехнулся историк.

— Что это значит? Что вы здесь делаете? — убийственно ледяным тоном осведомился Бобров.

— Мне необходимо с тобой поговорить, а ты не берешь трубку, не отвечаешь на эсэмэски...

— Я не желаю вас знать! Всего наилучшего! — Он повернулся, чтобы уйти, но она схватила его за рукав.

— Погоди, я должна все тебе объяснить, все совсем не так, как ты думаешь!

— Я вовсе о вас не думаю, я хотел бы забыть о вас как о смерти, а вы мне не даете!

— Миша, ради бога! Позволь мне объяснить...

— Что объяснить? Поступок подлой твари? Интересно, отправляя это гнусное видео моей жене, вы на что рассчитывали? Что жена меня выгонит и я неизбежно попадусь в вашу очередную ловушку? Как минимум, наивно, чтобы не сказать, чудовищно глупо и подло! А я подлых баб не выношу! Все!

— Миша, все не так... не то... Дай мне десять минут, и я все объясню!

На них уже оглядывались.

— Ты на машине?

— Нет.

— Тогда пойдем в мою машину и я все расскажу! Пусть ты никогда больше не будешь иметь со мной дело, но я не хочу, чтобы ты считал меня подлой тварью. Умоляю!

— Ну что ж. Даю ровно пять минут!

Они сели в ее машину, где пахло ее чересчур резкими духами. Он открыл окно.

— Я слушаю!

— Миша, это не я, меня подставили!

— Интересно, кто!

— Тот человек, который... Ну, с которым я жила последний год. Он давно ревновал меня. И он установил камеру, чтобы следить за мной. А я ни сном ни духом... А когда он увидел, что я с тобой... он пришел в ярость и решил так меня подставить...

Бобров не верил ни единому слову.

— Миша, ты мне не веришь?

— Разумеется, не верю!

— Но почему?

— Ну, допустим, убедился ваш хахаль в вашей измене. А моя жена тут при чем?

— Ну, так он хотел рассорить меня с тобой... Все совершенно ясно. А я же люблю тебя!

— Любящие женщины так себя не ведут! Не думайте, что, однажды попав в вашу ловушку, я попаду в нее еще раз! И оставьте, пожалуйста, меня в покое. Напишите роман о ком-то еще и отвяжитесь от меня. Засим прощайте! А если будете преследовать меня или мою жену, вы об этом очень и очень пожалеете! — И с этими словами он вылез из машины. Его душила ярость. Наглая тварь!

Весь дрожа от ненависти, он вернулся в вестибюль и вызвал такси.

На другой день под вечер ему позвонил Петрович.

— Алло, Мишка, как дела?

— Да никак, Петрович. А у тебя?

— Да тоже... никак! Миш, приезжай ко мне, разговор есть. Посидим, выпьем. Я закажу ужин...

— Хорошо, приеду! — обрадовался Бобров.

Петр Петрович встретил его как близкого друга. Они обнялись.

— Ну что, Петрович, Ира не сменила гнев на милость?

— Она сейчас в командировке. Но я не теряю надежды. Теща тоже жаждет воссоединения семьи. Давай выпьем, брат!

Они выпили.

— Петрович, как там твоя сестра?

— А самому слабо узнать?

— Я пытался, она бросает трубку.

— Похоже, Мишка, у нее уже нашелся утешитель.

Екатерина Вильмонт

— Что? — побелел Бобров.

— А ты как думал? После того, что Мартышка увидела, ей необходим утешитель. Она, вероятно, опять вытеснила эту пакость...

— Откуда ты знаешь про утешителя?

— Видел своими глазами.

— Где?

— В ресторане. Она меня даже не заметила, а я был с одной милой дамой и тоже не жаждал попадаться ей на глаза, она же дружит с Иркой.

— А это не Корней был?

— Нет, Корнея я знаю. Нет. Этот был очень даже видный и приятный мужик и так на нее смотрел...

— А она?

— Ну, она смотрела на него... я бы сказал, как минимум, благосклонно.

Бобров тяжело вздохнул.

— Что ж, поделом вору и мука.

— А хочешь на него взглянуть? Я их заснял на телефон. Подумал, вдруг это какой-то проходимец...

— Покажи! — хрипло потребовал Бобров.

— Изволь!

Бобров страшно побледнел, на лбу выступил холодный пот.

— Ты его знаешь? — испугался вдруг Петр Петрович. — Ну, в конце концов тут нет ничего криминального, — забормотал он.

— Как он может... Вот не думал...

— Миша, ты знаешь его?

— Еще бы не знать! Этот человек... Чтобы спасти его, я... А, что об этом говорить! А твоя сестра, похоже, особенно благоволит шпионам, — хрипло рассмеялся он.

— Он тоже шпион?

— О да! И куда более ценный, чем я.

— А Мартышка... она была с ним знакома?

— Конечно! И я видел, что он к ней неравнодушен.

— Тогда выходит, что не Мартышка западает на шпионов, а шпионы тают от ее улыбки, — попытался свести дело к шутке Сокольский.

— Какая разница!

— А знаешь, Мишка, что я тебе сказу...

— И что ты мне скажешь?

— Поставь себя на Мартышкино место. Она умирала от любви к тебе, а тут вдруг такое видео... Это сложно пережить. Я не спрашиваю, зачем ты связался с такой дрянью, бывает, но как ты мог не почуять ловушки? Так ее хотел?

— Вообще не хотел. Можно сказать, сделал одолжение... Да нет, вру... в какой-то момент да, захотел, очень... она красивая, зараза, и к тому же такого мне напела... Сам, что ли, не понимаешь, как это бывает, но подвоха не почуял. Лоханулся, признаю. Петя, скажи, что мне теперь делать? Не могу я без Марты. Совсем не могу! И мне ее жалко до ужаса. Хоть она и спуталась с Земцовым.

— Да не спуталась она еще, видно же. Но вот чтобы все-таки не спуталась, ты обязан что-то предпринять!

— Но что я могу? Она знать меня не желает!

— А ты добивайся! Она же добрая, простит...

— А я... я не буду ей противен после всего этого?

— А ты сделай так, чтобы... Знаешь, я, кажется, придумал!

— Что ты придумал?

— А ты... заявись к ней... с котенком!

— Что? С котенком?

— Ну да! Она же обожает кошек, тоскует по Тимоше, а ты найди котенка пошелудивее, скажи, подобрал на улице... Если заявишься с породистым, она поймет, что это взятка. А какой-нибудь доходяга... Она сразу бросится его обхаживать, а ты тем временем внедрись в квартиру, ну а там уж... Поменьше слов, побольше дела. Ну не мне тебя учить.

— Думаешь, сработает?

— Думаю да.

— Петь, ты вот даешь такие умные советы, а сам чего ж не придумаешь для себя способ?

— Понимаешь, мы прожили больше двадцати лет с Иркой и устали друг от друга. Мне, конечно, хреново без нее, но... не всегда... не всегда хреново.

— А мне без Марты хреново каждую минуту жизни.

— Так у вас стаж-то... меньше года. Ей-богу, Мишка, ищи котенка! Только все же покажи его сперва ветеринару, а то мало ли...

Бобров расхохотался.

— Знаешь, Петрович, даже самый шелудивый котенок не принесёт столько вреда, сколько подлая баба!

— Это точно!

Выкса

— Ребята, есть интересное предложение, — заявил Баженов, неожиданно возникнув в студии. Марта и Корней напряглись.

— Надо поехать в один маленький город. Там предстоит фестиваль искусств, хотелось бы осветить его в вашей программе.

— Осветить в программе непосредственно или постфактум? — деловито осведомился Корней.

— Непосредственно! С вами поедет съемочная группа, попробуем разнообразить наше утреннее шоу.

— А что за город-то?

— Выкса! Слыхали про такой?

— Выкса? Где это? — подала голос Марта.

— В Нижегородской области!

— Первый раз слышу! — пожал плечами Корней. — Но в Выксу так в Выксу! Ты как, Мартуся?

— Я с удовольствием. Это на Волге?

— Нет. Это маленький городок вокруг крупного металлургического комбината. Но очень продвинутый городок! Увидите тамошний отель, ахнете. Там частенько бывают разные фестивали, вот осенью был книжный фестиваль. Словом, надо ехать, ребята! Я обещал, что мы осветим это мероприятие.

— Осветим, чего ж не осветить! — заметил Корней. — Я думаю, не подкачаем.

— А Марта осветит фестиваль своей улыбкой! Спасибо, ребята! Если хорошо получится, глядишь, потом будем еще освещать и Каннский фестиваль!

— Лиха беда начало! — обрадовалась Марта. — А на чем туда добираться?

— На перекладных! Сперва поездом до станции Навашино, это часов пять от Москвы, а там вас встретят с машиной и через полчаса вы в Выксе. Два денька там и назад!

— А вы сами там были, Виталий Витальевич? — спросила Марта.

— Был. Там на комбинате работает один мой родственник, я в прошлом году мотался на его пятидесятилетие и угодил как раз на книжный фестиваль. А оттуда мне надо было в Нижний. Три часа на машине. Я по дороге уснул. Открываю глаза и вижу придорожный щит «Пробуждение»!

Оказалось, название поселка! Выезжаете послезавтра.

И с этими словами Баженов стремительно вышел из студии.

Дневник

Я рада, что уеду из Москвы хоть на два дня. Эта работа вообще мое спасение, а сейчас, весной, мне особенно тоскливо. Бобров недавно опять звонил. Я опять бросила трубку. Не могу! Скоро уже зацветет сирень... Года мы не продержались с нашей любовью. Я помогла ему излечиться от его драм, а он обрадовался. Я дура набитая, сравнивала его с птенцом, раненым птенчиком, а он кем оказался... Обычным кобелем. Доблестный разведчик, а угодил в такую примитивную ловушку. Смешно, ей-богу! Видно, очень хотел угодить. А вот Леша Земцов, он лучше, благороднее оказался. Знаю, что нравлюсь ему, даже очень, и он сказал, что, может быть, даже любит меня, но Мишке обязан жизнью и для него это превыше всего. Господи, как вспомню то видео, так и жить не хочется. Но жить надо! Завтра поеду в неведомую Выксу, буду среди людей, мне на людях легче. А вернусь, надо опять ехать к Пыжику на очередной прием. Я устала от этих ежемесячных визитов, но надо отдать ему должное, чувствую я себя значительно лучше. Хотя от душевной боли таблетки и порошки не спасают. До сих пор, а прошло уже почти три месяца, я не могу спать в спальне, мне кажется, там все пропахло Мишей... И от этого так больно!!!

Съемочную группу отправили раньше.

Корней заехал за Мартой на такси, и они отправились на Казанский вокзал. Ехали фирменным поездом Москва—Красноярск. У них места были в купе, где кроме них никого не оказалось.

— Ох, Мартуся, как хорошо! Нас наверняка тут чем-то покормят, чаю дадут! А потом я буду дрыхнуть до самого Навашина.

— Корнюш, а ты обратил внимание, как красиво одеты проводницы?

— Нет, если честно!

Но тут к ним зашла проводница, милая женщина за сорок. Спросила, что они предпочитают на ужин, курицу с рисом или мясо с гречкой. Выбрали курицу.

— Какая у вас красивая форма, такая элегантная, — обворожительно улыбнулся женщине Корней.

— Ой, да, но это еще зимняя, а вот скоро на летнюю перейдем, так вообще... — разулыбалась женщина. — Чаек будете? Черный? Зеленый?

— Черный! — в один голос сказали они.

— А к чаю есть шоколад, печенье, круассанчики.

— Круассанчики.

— Ой, какая жена у вас красивая.

— Я не жена, а коллега! — засмеялась Марта.

— А!

Им принесли чай и пакетик мини-круассанов.

— А хорошо все-таки, что у нас пока небольшая зона покрытия, — со смехом заметил Корней, — не узнают нас пока.

Они еще допивали чай, когда появилась толстая тетка с большой корзиной.

— Пирогов не желаете?

Из корзины головокружительно пахло свежей выпечкой.

— А с чем пироги-то?

— С капустой, с луком с яйцами, с рисом и с яблоками!

— Мартуся, будешь?

— Да! Один с яблоками!

— А мне один с капустой и один тоже с яблоками.

— Ой, это ж не пирожки, а лапти! — воскликнула Марта.

— Точно, лапти! — радостно засмеялась продавщица. — А вкусные лапти какие!

Корней побежал к проводнице за чаем.

— Ну, Мартуся, вкуснота-то какая! Во жизнь!

— Корнюша, а ты обратил внимание, что вдоль дороги все чисто, нету этих куч мусора...

— Да, обратил! Может, там дальше и есть мусор, но из поезда не видать.

— Хотелось бы верить, что и дальше мусора нет, — очень грустно проговорила Марта.

Корней понял, что она имеет в виду вовсе не придорожный мусор... Бедная Мартуся, как она мучается из-за своего шпиона.

— Что, Мартуся, не появляется?

Она вскинула на него совершенно несчастные глаза.

— Звонит. А я бросаю трубку.

— Так, может, зря? Может, надо поговорить, а?

— Не о чем нам... Я хочу развестись.

— А он согласен?

— Откуда я знаю!

— Слушай, подруга, давай поговорим откровенно. Когда еще и поговорить, если не в поезде, за чаем с пирогами.

— Ну, давай!

— Скажи, неужели ты думаешь, что такой человек, как твой шпион, останется с бабой, которая устроила ему такую пакость?

— Ну, я ж не знаю... как там у них все... Может, ему так понравилось...

— Прекрати! Знаешь легенду про Петра и Февронию?

— Ну в общих чертах... А при чем тут это?

— Не стану тебе все рассказывать, но в какой-то момент бояре так достали Петра, что он согласился отвезти Февронию обратно в ее село, а ему бояре подыскали другую жену, высокородную. И вот плывут они в лодочке по Оке, а Феврония вдруг говорит: «Зачерпни водицы, князь, левой рукой да испей». — Петр испил. — «А теперь, князь, правой рукой! Испей! Испил? А теперь скажи, есть разница?» — «Да нет вроде». — «Так вот и с женщинами... Нет большой разницы». — Петр плюнул, повернул назад и прожил со своей Февронией до самой смерти.

— И что ты хочешь сказать? Что между мной и этой сукой нет разницы? — вскипела вдруг Марта.

— Вовсе нет! — рассмеялся Корней. — Я хочу сказать, что от добра добра не ищут! Ну оступился мужик... бывает...

— А с тобой бывало?

— Ясное дело, бывало. У нас с Зойкой трое ребят, беременности, кормления, то, се, короче, бывало... куда денешься. Но я ее люблю и не хочу терять. Вот и все. Уверен, твой шпион страдает не меньше, чем ты. Вы ж и в самом деле идеальная пара. Ну, прости уж ты его, сколько можно мужика терзать! А то он опять поневоле согрешит.

— Пусть грешит сколько хочет, мне уже все равно.

— Ой, врешь, не все равно! Глаза-то несчастные, как у больного бассета!

— Почему у бассета? — фыркнула Марта. — Разве я похожа на бассета?

— Нет, ты похожа на палевого шпица! А самые печальные глаза у бассетов.

— Да ну тебя!

— Вот, я собирался спать, а ты меня перебудоражила. Ох, а нам уже осталось полтора часа до этого Навашина. Теперь уже и пытаться спать не стоит.

— Скажи, а Зоя... Она знала о твоих эскападах?

— Нет. И потом я не столь лакомая добыча, как твой шпион. Вот будет у нас зона покрытия пошире, глядишь, и на меня начнут охотиться. Но мы больше детей не планируем, так что... с удовольствием буду блюсти верность супруге.

Чтобы справляться о Марте, Бобров регулярно звонил Саньке Пыжику, и тот снабжал его информацией, полученной от Вики.

— Ну, что, Сань?

— Уехала на два дня.

— Куда? С кем?

— По работе. С Корнеем. В какой-то городок, забыл название. Больше ничего не знаю.

— Когда уехала?

— Вчера. Вернется, придет на очередной осмотр.

— Спасибо, друг!

Она уехала с Корнеем. Это не страшно. А вот Леша Земцов... Это его мучило. Неужели? И тут ему пришло в голову, что надо пойти в квартиру и проверить, есть ли там следы другого мужика. Если они есть, я уж сумею их обнаружить. И что тогда? Тогда... мы будем квиты! Я смогу это пережить. А Лешке потом набью морду и дело с концом!

И после лекций он поехал на улицу Бориса Галушкина. Едва он вышел из лифта, горло сжало спазмом. Как он любил вечером возвращаться в эту квартиру, к своей маленькой... Но он справился с собой и вошел. Прислушался. Все было тихо. Первым делом заглянул в ванную комнату. Ни второй зубной щетки, ни чужой расчески, ни бритвенных принадлежностей. Ничего. Он заглянул в шкафчик. Там тоже ничего. Впрочем, Лешка ведь тоже разведчик, умеет заметать следы. А зачем, собственно, ему их заметать в такой ситуации?

На кухне тоже ничего не было. А вот на столе в гостиной лежала незнакомая толстая тетрадь. Он никогда ее прежде не видел. Что это? Он открыл тетрадь. Ба, да это же дневник! Вот не знал, что Марта ведет дневник. Видимо, она хорошо его прятала. Он знал, что этого нельзя делать, но сел к столу и стал читать. Вдруг я узнаю то, что поможет мне понять... Дневник начинался с конца прошлого года, когда все еще было безоблачно. Она писала о том, как они вдвоем встречали Новый год и как она была счастлива. Кажется, это был самый лучший Новый год в моей жизни, с горечью подумал Бобров. Но идиллические странички он стал пропускать. А вот тут Марта пишет уже о своих подозрениях в связи с романом Нонны Слепневой. А вот описывает визит к ней Аллы Силантьевой! Боже, какая наглая гнусная баба! Открыто грозила моей маленькой, что отобьет меня, называла ее клушей... Господи, как я мог! Да меня кастрировать мало за это. А вот еще запись, которая привлекла его внимание.

«Миша настаивает, чтобы я поехала к морю! Говорит, мне надо набраться сил перед новой работой. Сам он поехать со мной не может, и я еду с Викой. Хотелось бы знать, это он так заботится о моем здоровье или хочет услать меня из Москвы?»

По-видимому, дневник Марта брала с собой. Там есть восторженные записи о знакомстве с лемурами, о крохотном гиббончике, который висел на сетке, и Марта, чтобы покормить его бананом, вскарабкалась на ограду, а Вика поддерживала ее за попу. Кажется, ей там было хорошо...

А вот уже запись по возвращении: «Мишка купил мне роскошное, очень дорогое пальто, подбитое голубой норкой. Пальто мне здорово идет, но у меня такое ощущение, что этот подарок — замаливание какого-то греха... И когда я надеваю это пальто, у меня начинает все болеть. Особенно сердце и живот».

Читать эти строки тоже было больно до ужаса. О, а вот и до Лешки дошло дело. Они встретились у Пыжика случайно. Да, Лешка брал у меня координаты Саньки для своей матери. И он пригласил ее в Большой театр. И вдруг кровь бросилась Боброву в лицо. Лешка сказал Марте, что, возможно, даже любит ее, но никогда не посмеет... из-за меня, из-за того, что я спас ему жизнь... Черт возьми, как благородно! Бобров закрыл тетрадь. Он сгорал со стыда. Перед Мартой за то, что прочел ее дневник, перед Земцовым, за то, что подозревал его. Господи, до чего я докатился из-за этой твари! Я же перестал себя уважать! И вдруг в голову ему пришла забавная мысль: а ведь Лешка по сути попался почти в ту же ловушку, что и я. Он так увлекся моей женой, что не заметил, как его сняли на телефон! Да уж, до чего нас доводят бабы! Ухитряемся растерять весь свой профессионализм. Но... Если он и вправду любит Марту... Но как же... Если ему пришлось объяснять ей, что он не в состоянии нарушить долг чести... Значит, она была готова... с ним... Стоп! Она же когда вернулась с Канар и надела злополучное пальто, заявила: «Если я точно узнаю о твоей измене, я оставляю за собой право на симметричный ответ!» И она хотела ответить мне... с Лешкой? Интересно, потому что ее к нему тянет или просто больше не с кем было? Тьфу, сам черт ногу сломит! Но тут он заметил, что на диване лежат подушка и одеяло, аккуратно сложенные и прикрытые пледом. Он вскочил и заглянул в спальню. Там на кровати не было даже белья. Он снова открыл дневник и прочел о том, что Марта теперь спит на диване. Не может спать там, где нам было так хорошо... Я сейчас поеду и убью эту тварь! У него все плыло перед глазами, он задыхался, его душила ненависть. Но тут он вспомнил такой же приступ ненависти, когда узнал о том, что человек по фамилии Горшенин с еще одним подонком когда-то изнасиловал четырнадцатилетнюю Марту. Что ж, по зрелом размышлении, Бобров тогда придумал: брать грех на душу он не станет, у того двое детей. Он просто сделал так, что Горшенин тихо утек за границу. Вот и сейчас надо поступить так же...

Он вырвал чистый листок из Мартиного дневника и стал чертить какую-то схему...

Через час на улицу вышел уже совершенно другой человек! Он шел энергичной пружинистой походкой, сел в машину и подумал: вот это будет поистине симметричный ответ этой гадине. Она хотела сломать жизнь мне и Марте. Но это мы еще посмотрим! И я в долгу не останусь!

Отель в Выксе и в самом деле был поистине роскошным! Мраморные холлы, огромное количество живых цветов. Шикарные номера, имелся даже зал для фитнеса и бассейн.

— Ой, как жалко, что я не взяла купальник! — посетовала Марта.

— У тебя есть черный лифчик и трусы? — спросил Корней.

— Черных нет, только лиловые.

— Лиловые тоже сойдут за купальник!

— Думаешь?

— Уверен!

И рано утром они отправились в бассейн, поплавать перед завтраком.

— Господи, Корнюша, зачем ты сделал тату?

На ноге у Корнея, повыше колена, красовался дракон.

— Дурак был, молодой, за модой погнался, казалось, это очень круто! А у твоего шпиона нет тату?

— Слава богу, нет! — И тут же глаза Марты опять стали похожи на глаза больного бассета.

— Мартуся, а ты совсем что ли больше не плачешь?

— Нет, не плачу. Не получается. И мне от этого так тяжело...

— Знаешь, а мне почему-то кажется, что вот вернемся мы из Выксы, и все у тебя наладится. Найдет твой шпион, чем тебя задобрить... Он ведь ушлый мужик!

— Зачем ты мне о нем напомнил? У меня с утра было такое хорошее настроение!

— Все, ни слова больше о шпионах! Вылезай, встречаемся через двадцать минут в холле, завтракаем и за работу!

День был солнечный, деревья уже стояли зеленые. Съемочная группа ждала их у одного из Выксунских прудов, над которым белела старая церковь, а вода в пруду искрилась на солнце!

— Как красиво, прелесть просто! — воскликнула Марта.

И они взялись за работу!

Потом, когда в двенадцать фестиваль открылся, Марта водила хоровод с детишками, участвовала в интеллектуальных викторинах, веселилась и в какой-то момент вдруг подумала: «А ведь есть жизнь и помимо Миши!» Она познакомилась со знаменитым артистом, который тут гастролировал и пригласила его как-нибудь принять участие в их утренней программе. Высокий, совершенно лысый артист, глядя на улыбку Марты, тут же дал согласие, о чем Марта незамедлительно уведомила Баженова, связавшись с ним по телефону. Тот весьма одобрил ее за расторопность. Словом, все было хорошо.

Ссылка

Аллу Силантьеву неожиданно вызвали к заместителю главного редактора газеты. Она испугалась. После скандала с рецензией на собственную книгу кое-кто говорил, что ее могут уволить. Неужели действительно выгонят?

— Вызывали, шеф?

— Присаживайся!

Она села, закинула ногу на ногу, а ноги у нее были просто загляденье. Заместитель главного сразу загляделся на них! Это вселяло некоторую надежду... Алле очень не хотелось увольняться.

— Ну вот что, дорогуша! После того, что ты учудила, главный рвался уволить тебя к чертям! Но я подумал, это неправильно. Ты отличный журналист, только по молодости и дури вляпалась в дерьмо по самые уши. Но ты красивая баба, у тебя есть хватка...

«К чему он клонит?» — недоумевала Алла.

— Мы тут посовещались и решили — ты все же ценный кадр для газеты, мы тебя не уволим, но необходимо, чтобы эта история и с романчиками, и с рецензией хорошенько забылась, мы пошлем тебя собкорром за кордон.

— Куда? — вырвалось у Аллы.

— Ну, на Нью-Йорк или Париж ты рассчитывать не можешь, мы пошлем тебя в такую страну, где не так часто случаются события, достойные освещения на страницах центральной прессы, а именно... — Он выдержал эффектную паузу. — Поедешь в Гватемалу. Тем более что ты владеешь испанским. Заодно будешь освещать события и в Гондурасе, по соседству. Чего это у тебя рожа вытянулась? Не нравится? Тогда мы тебя уволим по статье. Как говорится, с волчьим билетом. А Гватемала большая страна, население около пятнадцати миллионов, может, найдешь себе красивого и богатого гватемальца, забудешь свои дурацкие затеи... Поработаешь там годика два, художества твои забудутся, тогда сможешь вернуться, а если хорошо себя зарекомендуешь, глядишь, и пошлем тебя в Европу. Поверь, после этого скандала ничего лучшего тебе не светит!

— Хорошо. Я согласна. Только скажите честно, с чьей подачи такое предложение?

— С моей! Главный требовал твоего увольнения! А мне тебя, дурищу, жалко стало. К тому же наш корреспондент в Гватемале тяжко заболел, надо было кем-то заменять. Я и подумал...

— Ну что ж, спасибо и на этом! И когда вылетать?

— Через две недели. Тебе надо подготовиться как следует.

— О да!

Не иначе, это дело рук Боброва! Хочет сослать меня на край света! Думает небось, что таким образом поквитается со мной. А я все равно его добьюсь! И хорошо, что я уеду, может, охолону там, приведу в порядок мысли и чувства и там, вдали от него, либо позабуду о нем, либо придумаю что-то такое... И к тому же за два года ему наверняка надоест его клуша... И захочется чего-то поострее, с перчиком чили... Но какая ж я была дура! Сколько глупостей наделала, просто уму непостижимо! Да, поделом вору и мука! Что ж, Гватемала так Гватемала. Могло быть хуже! И может, в этой Гватемале я напишу новый роман на местном колорите и издам у Костенко под каким-то другим псевдонимом. Хотя зачем? Издам под своим именем! Это же круто — корреспондент в Гватемале, красавица Алла Силантьева написала роман... Что ж... Вся история с Бобровым оказалась роковой ошибкой. А на ошибках учатся. Но все же нестерпимо хотелось, чтобы последнее слово осталось за ней! Я что-нибудь придумаю. Так, чтобы подразнить... Но одно утешает — его идиллию я разрушила! И она отправила Боброву сообщение: «Уезжаю в Гватемалу. Спасибо большое! Но ведь не навсегда...»

Марта вернулась из Выксы очень довольная. Они сняли отличный сюжет для своей программы. Насладились гостеприимством и радушием местных жителей. И еще ей там, в Выксе, вдруг показалось, что, собственно, есть жизнь и помимо Боброва, а в этой жизни есть свои радости.

Она позвонила Вике, так сказать, отчитаться по старой привычке.

— Ох, Викуся, я так рада, что поехала...

Марта, захлебываясь, рассказала подруге про Выксу.

— Представляешь себе, мы когда ехали со станции, проезжали деревню с названием Туртапка!

— Как? — рассмеялась Вика.

— Туртапка!

— Это что-то значит?

— Ну, там есть разные версии, но я запомнила две: будто бы в старину в тех местах орудовали разбойники Тур и Тапка, а еще будто бы там жили турки и шили тапки... Клево, правда?

— Да, забавно! А Саша тебя завтра ждет.

— Я помню!

Бобров знал, что Марта вернулась и что она страшно довольна. Чего я медлю? Почему не иду к ней? И он подумал было пойти в клинику и подкараулить Марту там, но, увы, в этот час он был занят. И тут он вспомнил про совет Петровича. Котенок! Ну, положим, шелудивого я брать не буду, я поеду в кошачий приют и выберу там такого, который наверняка глянется Марте. Тимошка рыжий. Может, взять еще рыжего? Ладно, там будет видно. Он поискал в Интернете, нашел такой приют, где кошки гарантированно прошли осмотр у ветеринара, и поехал туда, предварительно купив большой мешок кошачьего корма для обитателей приюта. Его встретила милая девушка в смешных очках, оправа которых тоже напоминала кошку.

— Вот, девушка, я привез тут вашим питомцам...

— Вот спасибо! Вы просто благотворитель или хотите взять кого-нибудь?

— Очень хочу! Котеночка... лучше мальчика... А впрочем, и девочка сойдет.

— Любите кошек?

— Обожаю! И жена тоже обожает! У нас есть кот, но он живет на даче. А жена тоскует, вот я и решил подарить ей котенка.

— То есть вы знаете, как за ними ухаживать?

— Разумеется, знаю.

— Ну что ж, пойдемте, покажу вам наших...

Кошки сидели в клетках. Клетки были достаточно просторные, но сердце у Боброва сжалось. Он знал, каково это. И тут взгляд его упал на черного как смоль котенка от силы двухмесячного с такими горестными глазами, что он тут же сказал:

— Мне вот этого... этого хочу!

— Может, еще посмотрите?

— Нет! Только этот! Он кто?

— Он — девочка!

— Хорошо, пусть!

Бобров уже весь дрожал, он уже любил этого котенка, эту девочку...

Он взял ее на руки, прижал к себе.

— Тебя будут звать... Мусей. Тебе нравится имя Муся?

Котенок вдруг заурчал, еще как-то неумело, словно пробуя голос.

— Мусечка, ты почему дрожишь? Тебе холодно или страшно? Ничего, маленькая, я отвезу тебя к моей маленькой, и будут у меня две маленькие... Будут, как ты думаешь, а?

На улице было ветрено и холодно. Он сунул котенка за пазуху.

— Грейся, Мусечка!

Марта поливала свои орхидеи. Она наливала воду в кашпо и оставляла на полчаса, чтобы цветы как следует напились. И вдруг увидела в окно, что во двор въехала машина Боброва. Сейчас явится и будет каяться, прощения просить, обещать, что никогда больше... «Ну нет, я так не хочу!» — сказала себе Марта и метнулась на кухню, за веником! Она даже не посмотрела в зеркало, ей было наплевать, как она выглядит, ей нестерпимо хотелось отлупить его веником! Интересно, позвонит или откроет своим ключом?

Раздался звонок!

— Кто?

— Маленькая, открой!

Она открыла и едва он ступил за порог, как она огрела его веником!

— Я этого ждал! — рассмеялся он и почему-то мяукнул.

— Убирайся, и нечего тут мяукать! Пошел вон!

— Это не я мяукал, это вот...

И он вытащил из-за пазухи черного котенка.

— Вот, познакомься, это Муся, она приютская.

Марта выронила веник и схватила котенка.

— Ой, какая! А глаза какие трагические... Кисочка, ты голодная? А у меня молока нет...

— Я принес специальный котеночный корм и могу сбегать за молоком...

Марта подняла на него глаза. Он смотрел на нее даже испуганно, но с такой любовью...

Ей захотелось просто прижаться к нему, забыть обо всем, ведь и она любила его по-прежнему... Просто пыталась защититься от этой своей любви...

— Ладно, давай свой корм, а то она вся дрожит...

Марта с котенком пошла на кухню, достала блюдечко, Бобров вскрыл пакетик, выложил корм на блюдце, и поставил на пол. Котенок принюхался и стал есть.

— Господи, какая она... Мишка, это ты мне принес?

— Нет, маленькая... Нам.

— Погоди, ты сказал, она приютская? Ты взял ее в приюте?

— Ну да. А что такое?

— Я собиралась тоже взять в приюте, но я хотела мальчика, я собиралась назвать его Выксой...

И вдруг из глаз ее потекли слезы. Она плакала и смеялась одновременно. А он обнимал и целовал ее.

— Мишка, только знаешь что? Мы никогда не будем вспоминать про это... Ладно?

Петрович гений, думал Бобров, покрывая поцелуями заплаканное лицо любимой жены...

Люди,
берите котят из приюта,
любите их и будет
вам счастье!

Содержание

Литературно-художественное издание

16+

Екатерина Николаевна Вильмонт

ШПИОНЫ ТОЖЕ ЛОХИ

Редакционно-издательская группа
«Жанровая литература»
Зав. группой М.С. Сергеева

Руководитель направления И.Н. Архарова

Подписано в печать 26.10.17 г.
Формат 84×108 $^1/_{32}$. Усл. печ. л. 16,8.
С.: Романы Екатерины Вильмонт Тираж 25 000 экз. Заказ № 10144.
С.: Бестселлеры Екатерины Вильмонт Тираж 55 000 экз. Заказ № 10146.

ООО «Издательство АСТ»
129085, г. Москва, Звездный бульвар, д. 21, строение 1, комната 39

"Баспа Аста" деген ООО
129085 г. Мәскеу, жұлдызды гүлзар, д. 21, 3 құрылым, 5 бөлме
Біздің электрондық мекенжайымыз: www.ast.ru
E-mail: astpub@aha.ru

Қазақстан Республикасында дистрибьютор және өнім бойынша арыз-талап-
тарды қабылдаушының өкілі «РДЦ-Алматы» ЖШС, Алматы қ., Домбровский
көш., 3«а», литер Б, офис 1.
Тел.: 8(727) 2 51 59 89,90,91,92, факс: 8 (727) 251 58 12 вн. 107; E-mail:
RDC-Almaty@eksmo.kz
Өнімнің жарамдылық мерзімі шектелмеген.

Өндірген мемлекет: Ресей
Сертификация қарастырылмаған

Отпечатано с готовых файлов заказчика
в АО «Первая Образцовая типография»,
филиал «УЛЬЯНОВСКИЙ ДОМ ПЕЧАТИ»
432980, г. Ульяновск, ул. Гончарова, 14